D0546074

ROY

Please renew or return items by the date shown on your receipt

www.hertsdirect.org/libraries

Renewals and enquiries: 0300 123 4049
Textphone for hearing or 0300 123 4041
speech impaired users:

Hertfordshire

L32

46 878 102 5

ARTUR NIESŁUSZNY

OPOWIEŚCI BIBLIJNE

NA WESOŁO

NOVAE RES

Redakcja: Barbara Kaszubowska
Korekta: Aleksandra Tykarska
Okładka: Krzysztof Urbański
Ilustracje: „Pan Grafik" Konrad Galiński
Skład: Katarzyna Czerwiec
Druk i oprawa: Elpil

Wydanie pierwsze
ISBN 978-83-7942-725-3

NOVAE RES – WYDAWNICTWO INNOWACYJNE
al. Zwycięstwa 96/98, 81-451 Gdynia
tel.: 58 698 21 61
e-mail: sekretariat@novaeres.pl
http://novaeres.pl

Publikacja dostępna jest
w księgarni internetowej zaczytani.pl.

Wydawnictwo Novae Res jest partnerem
Pomorskiego Parku Naukowo-Technologicznego w Gdyni.

PPNT Gdynia

CZAS POTOPU

ZADZIWIAJĄCO krótka – w wersji biblijnej – jest historia ludzkości. Jeśli owe 7 dni, składające się na całość dokonań Stwórcy, można traktować symbolicznie i elastycznie, rozciągając trwanie każdego z nich na tysiące i miliony lat – to biblijna przestrzeń czasowa, dzieląca stworzenie pierwszych ludzi od ich zagłady, spowodowanej rozczarowaniem z nieudanych potomków Adama i Ewy pogrążających się coraz bardziej w nikczemnych uczynkach – nie daje żadnych możliwości manewru. Tu ramy czasowe są określone i ograniczone do ośmiu pokoleń, które wystarczyły – doskonałym przecież istotom, bo wykreowanym na obraz i podobieństwo Stwórcy – aby pogrążyły się w „wielkiej niegodziwości" (Rdz 6, 5), i by „Ziemia uległa skażeniu wobec Boga i zapełniła się gwałtem" (Rdz 6, 11). Moralny upadek ludzkości następował więc nader szybko, a właściwie niemal od początku, skoro już w Raju Kain postanowił jako pierwszy, roztrzaskując kamieniem głowę brata Abla, przywrócić i wzmocnić swoją pozycję wobec Pana. Ów ambitny protoplasta następnych pokoleń gwałcicieli nie odczuwał przy tym żadnej skruchy ani wyrzutów sumienia, skoro i potem wobec Stwórcy zachowywał się zuchwale i wykrętnie, mówiąc: „Czyż jestem stróżem brata mego?" (Rdz 4, 9). Co gorsza, również potomkowie jego brata Seta – z których wywodził się Noe – z upodobaniem kultywowali i rozwijali ulubione występki poprzedników. Jeśli jednak wywodzący się z linii Kaina (Henoch, Irad, Mechujael, Metuszael, Lamek…) grzesznicy mogli – z niewątpliwą dozą słuszności – powoływać się na obciążenie dziedziczne, to ci z linii Seta nie mają już nic na swoje usprawiedliwienie! Rodziny Enosza, Kenana, Mahalalaela, Jereda, Henocha, Metuszelacha i Lameka godnie i wytrwale rywalizowały z bliskimi – a potem coraz bardziej odległymi kuzynami – na polu łamania przykazań Pana, gwałtów i niegodziwości. Jakich – możemy się jedynie domyślać… Ale z pewnością nie chodziło tylko o kradzież kury czy wybicie zęba sąsiadowi. Z pokolenia na pokolenie i z wieku na wiek pogrążali się więc w odmętach bezeceństw i podłości, bezprawia i podstępów, wśród których tylko brak wojen daje się dotkliwie odczuwać – a i to nie jest pewne, z uwagi na bardzo skrótową i ogólnikową formę biblijnego przekazu. A może po prostu liczba ludzi, wystarczająca do okazjonalnej bijatyki, była jeszcze zbyt mała do masakrowania się w wojnach i organizowania łupieżczych wypraw? Bo przecież później (Lb 21, 24; 31, 7) Izraelici ochoczo oddawali się temu zajęciu. Ogólne zepsucie osiągnęło więc taki poziom, że nawet Stwórca poczuł się bezradny i postanowił sięgnąć po środki radykalne, skoro metody wychowawcze okazały się bezskuteczne. Nie wiadomo, komu się zwierzył ze swoich planów, ale biblijni kronikarze rozpoznali je i zapisali skrupulatnie: „Zgładzę ludzi, których stworzyłem, z powierzchni ziemi: ludzi, bydło, zwierzęta pełzające i ptaki podniebne, bo żałuję, że ich stworzyłem" (Rdz 6, 7). Nie wiadomo również, jaki udział w ogólnym zepsuciu miały zwierzęta, ale bez powodu nie mogły wszak zostać ukarane, co wskazywałoby na ich wyższy niż obecnie poziom inteligencji i świadomości, nieograniczający się do umiejętności ryczenia, dziobania i machania skrzydłami. Nie dorównywali im tylko w zepsuciu wodni krewniacy: zarówno morskie potwory, jak i pomniejsi mieszkańcy mórz, jezior, rzek i stawów. Wszyscy oni nie tylko ocaleli, ale nawet nie mieli pojęcia o planowanej czy też dokonującej się nad ich głowami zagładzie wszystkich istot żywych i beztrosko pluskając, wzajemnie się pożerali.

Rodzina Noego – „prawego i nieskazitelnego" – była zaledwie ósmym pokoleniem wywodzącym się od Seta, trzeciego syna Adama i Ewy. Tyle czasu wystarczyło, by – jak wszyscy – osiągnęli poziom kwalifikujący ich do fizycznego unicestwienia, jako nienadających się do resocjalizacji i bez perspektyw wejścia, jeśli już nie na drogę, to na ścieżkę przyzwoitości i choćby poprawności moralnej. Paradoksalnie ocenę, będącą wyrokiem, „żałuję, że ich stworzyłem" (Rdz 6, 7), musiał wystawić sam Stwórca!

Ten, kto miał ocaleć z katastrofy, nie mógł zachować życia przypadkowo i bez powodu. Musiał być wybrańcem Pana – a więc obdarzonym niezwykłymi przymiotami charakteru, kimś nadzwyczajnym i bogobojnym, „nieskazitelnym" i „prawym", który żył w „przyjaźni z Bogiem" (Rdz 6, 9) i którego „Pan darzył życzliwością" (Rdz 6, 8). Takim człowiekiem był Noe – ale także jego rodzina, bo wszak jej ocalenie nie mogło wynikać tylko z prostej zasady pokrewieństwa, czyli swego rodzaju nepotyzmu. Ten wyjątkowy wśród niezliczonych szeregowych grzeszników mąż został więc przeznaczony do ocalenia i przedłużenia gatunku ludzkiego, co przyjął zapewne z zadowoleniem, ale i należną jego zaletom godnością.

Niestety, bardzo spokojnie, bez emocji i bez żadnego słowa sprzeciwu przyjął też decyzję o zagładzie całej ludzkości i wszystkich zwierząt. Z jednej strony było to wyrazem bezwzględnego posłuszeństwa, za które został wyróżniony przez Pana i darzony życzliwością, z drugiej jednak rzuca pewien cień na jego nieskazitelność. Wszak żyjący 10 pokoleń później Abraham nie wahał się wejść w pewien spór z Panem o skazane na zagładę Sodomę i Gomorę, a chodziło tylko o mieszkańców dwu grzesznych miast! (Rdz 18, 22–33). Z taką umiejętnością wystąpienia w obronie życia większych zbiorowości, nawet w obliczu despotii – to Abraham, a nie potulny i ślamazarny Noe jest bliższy ideałom współczesnego humanizmu, jakkolwiek popularność żeglarza i jego arki w świadomości społecznej, a także w twórczości artystycznej jest nieporównanie większa.

Zdawałoby się, że dla Stwórcy jest to sprawa niezmierne prosta. Skoro zapadła decyzja o pogrążeniu wszystkiego w wodnych odmętach – wystarczyło zesłać odpowiednią ilość wody, a wybrańca Noego usadowić w bezpiecznym, suchym miejscu, np. tworząc mu dogodny punkt obserwacyjno-rozrywkowy na trawiastym zboczu góry, skąd mógłby ze spokojem i pewnym zadowoleniem oglądać ludzkie wrzaski i bulgotanie wody, pochłaniającej jego bliższych i dalszych zepsutych pobratymców, z którymi – jako mąż sprawiedliwy – był w niewątpliwym konflikcie. Takie miejsce byłoby bez porównania dogodniejsze – zarówno dla niego, jak i dla zwierząt – niż zatłoczone pokłady i przedziały pływającej szalupy ratunkowej, nawet o rozmiarach sporego statku. Rzecz ograniczałaby się do zbudowania dachu celem ochrony przed deszczem i pomieszczeń dla ryczących, skrzeczących i obdarzonych różnymi innymi talentami wokalnymi lokatorów. Również zgromadzenie dla nich zapasów jedzenia byłoby bardzo ułatwione, a niektóre wyżywiłyby się same. Ale stało się inaczej – a polecenie Pana wystawiało na ciężką próbę techniczne umiejętności wybrańca.

„Ty zaś zbuduj sobie arkę z drzewa żywicznego, uczyń w arce przegrody i powlecz ją smołą wewnątrz i zewnątrz" (Rdz 6, 14). Oprócz danych o rozmiarach arki, jej nakryciu przepuszczającym światło, wejściach w bocznej ścianie, przegrodzie dolnej, drugiej i trzeciej (czyli pokładach) (Rdz 6, 15, 16) – są to jedyne wskazówki, składające w istocie odpowiedzialność za szczegółowe rozwiązania techniczne w ręce Noego, późniejszego plantatora winnic. A było to nadzwyczaj ambitne wyzwanie, jako że ten pływający obiekt był jednostką prototypową, o niewyobrażalnej skali trudności. Inwestor dał tylko bardzo ogólnikowe wskazówki, bez rysunków technicznych, obliczeń i zestawienia materiałów. Jedynie kosztorys był zbyteczny, gdyż obiekt miał być zbudowany w systemie chałupniczym, przy zastosowaniu wykonawstwa własnego, bez pracowników najemnych. Zbudowanie statku o takich rozmiarach i w takich warunkach organizacyjno-technicznych byłoby niewątpliwie dziełem pionierskim, za które szlachetnemu mężowi imieniem Noe należałby się tytuł stoczniowca czy szkutnika wszech czasów.

Arka, według wytycznych, miała być długa na ok. 130 m i szeroka na ok. 25 m. Nawet jeśli ostrożnie zmniejszymy jej długość o połowę przy 20 m szerokości, to i tak jest to wielkość imponująca. Należy przy tym zauważyć, że zupełnie zbyteczna z punktu widzenia potrzeb 8-osobowej rodziny patriarchy Noego, której by wystarczył obiekt o rozmiarach turystycznej żaglówki. Argument o zaletach dużej jednostki wobec wzburzonych fal i wiatru nie ma tu zastosowania – grupa Noego miała wszak odgórnie zapewnione bezpieczeństwo i przetrwanie. Cały więc ogrom arki był uzasadniony przede wszystkim interesem zwierzęcych pasażerów i to dla nich podjął Noe trud budowy.

Założenia techniczne, w tym także dobór surowców, nie tylko nie zaskakują nowoczesnością, lecz zawierają poważne błędy konstrukcyjne. Rozmiary statku, przy braku obliczeń wytrzymałościowo-statycznych, groziłyby jego rozłamaniem. Zabrakło dwu ważnych parametrów technicznych, określających przydatność statku do żeglugi, którymi są: pojemność statku brutto i jego nośność, czyli ciężar ładunku, zapasów i ludzi, bez przekroczenia dopuszczalnej linii zanurzenia. W tym przypadku zwłaszcza ten drugi czynnik miał ogromne znaczenie. Pomija się też tak ważne elementy jak ster i kil, a przede wszystkim niezbędny do poruszania się na falach – napęd statku. Nie były to bowiem z pewnością żaglowiec ani wielowiosłowa galera. A przecież zastosowanie żagli nadałoby mu nową jakość estetyczną i użytkową. Racjonalne wydaje się również zatrudnienie choćby 20 galerników – niekoniecznie przykutych łańcuchami, jak to zwykle bywało – którzy wprawdzie byliby z gatunku „niegodziwych", ale mieliby szansę odpokutowania win, a za ocalenie życia byliby gotowi bez wytchnienia machać wiosłami z szybkością 100 uderzeń na minutę. Ostatecznie, pod koniec – już jako zbytecznych – można by ich utopić. Jeśli zabrakło tego rodzaju środków napędu – to tym trudniej spodziewać się zastosowania napędu parowego czy śrubowego, o atomowym już nie wspominając. Bez nich arka Noego była właściwie bezwładnym i niesterowalnym kadłubem, który miotany falami, kręciłby się niczym balia, gdyby nie miał wydłużonego kształtu. Wprawdzie arka miała służyć tylko doraźnym i krótkotrwałym celom transportowym, jednak poziom rozwiązań technicznych nie zadowoliłby nawet budowniczych tratwy.

Ale mimo błędów i braku dokumentacji technicznej Noe, chociaż świadomy swoich niskich kwalifikacji w zakresie budowy obiektów pływających, lecz uzbrojony w ideowy zapał, wzmocniony wysoką oceną jego moralnej postawy przez Najwyższego Zwierzchnika i pewnością zachowania życia – ruszył żwawo do pracy. Nie wiemy tylko, czy rzuciwszy się na kolana, zapytał:

Panie, ile mam czasu na wykonanie tego zadania? A była to sprawa wielkiej wagi, gdyż określała zarówno tempo pracy, jak i termin nadejścia Wielkiej Wody i zagłady. Jeśli odpowiedź była mało precyzyjna, np. „100 wylewów rzeki", to powstawała jeszcze konieczność ich liczenia i zapisywania wbijaniem patyków w ziemię.

Stosując zatem najnowocześniejsze technologie i narzędzia, jak krzemienne siekiery, dłuta i noże, piły ze szczęki krokodyla, rekina i przedziwnie uzębionej płaskiej ryby rzecznej, kamienne młoty, liny z liany i węży boa, pilniki z wulkanicznego pumeksu oraz transport rzeczny, brygada ciesielsko-szkutnicza majstra Noego i trzech osiłków w osobach Sema, Chama i Jafeta już po 5 latach wytężonej pracy zgromadziła na placu budowy 95 sosnowych i 77 palmowych bali długości 10 m, a po następnych pięciu jej stan posiadania zwiększył się o 68 słusznej wielkości pni oraz dyskopatię majstra Noego i złamaną piszczel Sema, ku ledwo skrywanej radości Chama. Do zaplanowanych 1500 belek jeszcze trochę brakowało i Noe chętnie skorzystałby z jakiejś centrali materiałów budowlanych, ale niczego takiego nie dało się znaleźć. Dzielny budowniczy arki, którego zapał, zdążył nieco osłabnąć, po głębokiej analizie sytuacji postanowił więc trochę zmodyfikować swoje plany, zwłaszcza że następne miesiące zajęły mu wyczerpujące dociekania, jak z tylu okrąglaków uzyskać choćby jedną niezbędną do budowy deskę. Jednakże rezultatem tych wysiłków był tylko znaczny wzrost średniej spożycia wina w rejonie budowy, co jeszcze pogłębiło desperację, i skierowało myśli budowniczego na inne tory.

I oto okoliczni mieszkańcy, nieświadomi fatalistycznego związku swego losu z bezsensowną – ich zdaniem – szarpaniną z drzewami czterech zwichrowanych umysłowo i często podchmielonych rozczochrańców, zauważyli w chwilach wolnych od codziennych niegodziwości, całkowitą zmianę ich zajęć i zainteresowań. Pojawiło się plecione z drobnych gałęzi, sięgające do rzeki ogrodzenie, a w nim coraz liczniejsze krowy, osły i wielbłądy. Zwierzęta były wypasane na okolicznych łąkach i wzgórzach, a dawni drwale oddawali się uprawie warzyw, owoców, łowieniu ryb i zbieraniu jagód, szarańczy oraz deserowych, tłustych, białych pędraków pod korą drzew – głównie zresztą w charakterze nadzorców prac kobiet. Z biegiem lat zwierzęta tworzyły już pokaźne stada, które żyły całkiem bezproduktywnie, bo wielokrotnie przewyższały potrzeby własne hodowców, oni zaś nie sprzedawali ich ani nie prowadzili handlu wymiennego. Podejrzewano nawet próbę założenia ogrodu zoologicznego, zwłaszcza gdy w kolejnych zagrodach pojawiły się koziołki, króliki i różnego rodzaju ptactwo – ale i to się nie potwierdziło. Noe zaś nie był skłonny do wynurzeń.

Ale w zagrodzie dojrzewał – wbrew pozorom – plan operacji „Arka". I wreszcie, po wielu latach, Noe zadecydował, że nadszedł czas. Zrobiwszy odprawę, udzielił synom wielu mądrych i niezbędnych rad, kończąc groźnym ostrzeżeniem:

– I nie wracać mi tu z pustymi rękami, bo przeklnę was!

Synowie Noego cel mieli szczytny: uratowanie całego rodu od potopu. Prowadzili kilkaset porykujących czworonogów, które krocząc dostojnie i wzbijając kurz – stopniowo znikały Noemu na zakręcie z pola widzenia. On zaś wiedział, że przyjdzie mu teraz czekać na powrót całej trójki – ale jak długo? Tego nie mógł odgadnąć. Przekonany jednak o wielkości swego pomysłu, z ufnością oczekiwał pomyślnego zakończenia wyprawy.

Toteż wczesną wiosną, gdy na rzece pojawił się pływający obiekt, Noe stwierdził z zadowoleniem, że jego plan się powiódł. Statek nie był olbrzymem, trzeba go było uruchamiać sposobem flisaków długimi żerdziami i wymagał wielu przeróbek do czekających go zadań, ale pływał po wodzie, czego żadne ze stada zwierząt oddanych w zamian, w handlu wymiennym, nie potrafiło. Transakcja była więc ze wszech miar udana. Zapewne podobnie myśleli ludzie znad wielkiej wody zwanej morzem, którzy znali tajemnice budowy statków, połowu ryb, a i w rozbójnictwie morskim osiągali znaczne sukcesy. To z nimi dzielni potomkowie Noego dokonali owej transakcji, rozwiązując w ten zaskakujący sposób zadanie postawione przez Pana i rozwijając na dużą skalę formę towarowej wymiany międzyplemiennej, która jednak wkrótce miała ulec gwałtownemu załamaniu...

Następne lata grupa Noego przeznaczyła na przebudowę wielkiego pływacza do przechowania zwierzęcych lokatorów w dniach zagłady. Zdobyte już doświadczenie okazało się pomocne, chociaż nie istniała żadna motywacja do pośpiechu – bądź co bądź lepszy choćby luźny piasek pod stopami niż chmury, ulewy i wodne głębiny, nie mówiąc już o codziennych zmaganiach z różnymi kłapiącymi i ryczącymi paszczami. Toteż nawet różnego rodzaju trudności i przeszkody traktowano raczej jako urozmaicenie codziennej egzystencji niż powód do wyklinania remontowego rzemiosła. Niestety, nie mogło to trwać w nieskończoność. Nawet po latach prac w systemie jednozmianowym i jednoosobowym z trzema nadzorcami nadszedł wreszcie dzień, w którym Jafet, na znak ukończenia dzieła, postanowił wykonać na burcie napis „Arka Sprawiedliwych", ale przypomniał sobie, że nie tylko nie umie pisać, lecz nawet pismo klinowe

czy hieroglify egipskie nie zostały jeszcze wynalezione –
i zrezygnował. A następnego dnia, odświętnie ubrany
Noe, w stroju specjalnie wykonanym przez należące do
klanu kobiety, złożył meldunek:

– Panie, zadanie wykonane!

Nie wiadomo, jak została przyjęta owa deklaracja
i swego rodzaju mistyfikacja związana z budową arki.
Być może zdumienie Pana przewyższyło niezadowolenie zuchwalstwem wybiegu, gdyż ostatecznie nastąpiła
milcząca jego akceptacja, skoro zapowiedziany wiele lat
wcześniej kataklizm wszedł w fazę realizacji.

Tak więc pozostała do wykonania druga część tajnej
operacji. Czy była tajna? Wszystko wskazuje, że tak.
Wprawdzie budowy, a zwłaszcza sprowadzenia arki nie
udało się ukryć, ale jej przeznaczenia związany tajemni-
cą Noe nie ujawnił. Być może zresztą całe bliższe i dalsze
otoczenie traktowało jego działania jako kosztowne,
ale nieszkodliwe dziwactwo nieco podstarzałego, bo
prawie 600-letniego poczciwca i nudziarza, który od
wieków krytycznie oceniał obyczaje i mało przykładny
styl życia całej społeczności. Ujawnienie mającej nastąpić katastrofy spowodowałoby z pewnością ogromne
zamieszanie i protesty, bunty, manifestacje, masowe
migracje i ucieczki ludności na dalekie i nieznane tereny, a nawet samobójstwa bardziej zdeterminowanych
jednostek po to, by wymusić zmianę decyzji. W takiej
atmosferze dzieło Noego z pewnością uległoby zniszczeniu przez rozpasany i rozjuszony motłoch, a i sam Noe
zapewne nie uszedłby z życiem, gdyby wyszła na jaw
jego kolaboracja i próba ratowania się kosztem ogółu.
Tych wszystkich nieprzyjemnych konsekwencji należało
bezwzględnie uniknąć – więc cała społeczność zrozu-
miała skutki hulaszczego trybu życia dopiero zanurzona
po szyję w wodzie, ale wtedy było już za późno.

Noe miał więc przed sobą ważne zadanie – zgromadzenie i zakwaterowanie wszystkich zwierząt, które miały być uratowane przed potopem. Dyspozycje, jakie otrzymał od Pana wraz z poleceniem budowy arki, nie brzmiały jednak całkiem jednoznacznie: „Spośród wszystkich istot żyjących wprowadź do arki po parze, samca i samicę, aby ocalały wraz z tobą od zagłady. Z każdego gatunku ptactwa, bydła i zwierząt pełzających po ziemi – po parze, niechaj przyjdą do ciebie, aby ocaliły życie" (Rdz 6, 19–20). Instrukcja – co zastanawiające – nic nie mówi o niezliczonych gatunkach dzikich zwierząt, chyba że zakwalifikowano je do grupy bydła. Już w momencie wejścia Noego wraz z rodziną do arki zwierzęta, po jednej parze „czystych" i „nieczystych", istotnie „przyszły"– nie wiadomo jednak, co to oznacza. W jakim właściwie trybie otrzymały to wyróżnienie i jedyną szansę ocalenia życia? Kto wybierał je z pośród tysięcy pobratymców – czyżby to gromady zwierząt „delegowały" wspaniałomyślnie tych szczęśliwców, same skazując się na zagładę? Czy może Noe miał w tym swój udział, uganiając się chyżo po lasach, górach i równinach i wyłapując je w sposób zupełnie przypadkowy, co groziło schwytaniem najsłabszych i najgorszych egzemplarzy, a więc tzw. selekcją negatywną, i byłoby nieskuteczne wobec latającego ptactwa, jako że Noe fruwać nie potrafił? Czyżby jakiś niewytłumaczalny instynkt kazał różnogatunkowym parom wybrać czas, kierunek i miejsce spotkania? Można się zgubić w domysłach; nie wiemy, jakie zwierzęta przebywały na arce, a biblijne określenie „wszystkie" (Rdz 6, 19), należy rozumieć jako „wszystkie znane". A znane były tylko te, które żyły w zasięgu geograficznej znajomości zamieszkałego obszaru, a i z nimi były olbrzymie problemy. Czy krety, jeże, mrówki, pająki, szarańcze, pszczoły, motyle, zające, króliki, tysiące owadów z lasów i łąk i ich niezliczone odmiany również „przyszły" do arki lub pozwoliły się złapać? Noe musiałby być znakomitym zoologiem ze specjalizacją, aby ogarnąć wszystkie gatunki całego zwierzostanu, a przecież wiemy, że nie wykazał się nawet jako stoczniowiec. Lecz – poddane okrutnej próbie wodnej – zwierzęta jednak przetrwały. Ile zatem gatunków znalazło się na pokładzie arki? Nie wiemy, ale było ich dużo, czego dowodzą rozmiary statku, ustalone już na etapie założeń techniczno-roboczych; późniejsze zagęszczanie arki byłoby nie tylko niebezpieczne, ale i podważałoby nieomylność Stwórcy.

Z opisu zaokrętowanych oraz wygubionych zwierząt wyłania się dość chaotyczny obraz stanu faktycznego. Powtarza się bydło, ptactwo, i – co szczególne – zwierzęta pełzające, i „wszelkie" gatunki zwierząt, a nawet „ptactwo i istoty skrzydlate" (czyżby smoki?). Za tymi ogólnikami nie idą takie kategorie jak zwierzęta dzikie, drapieżne, leśne, górskie, stepowe, itd. Można by mniemać, że zaszczytu wstąpienia do arki nie dostąpiły żadne drapieżniki, tylko przede wszystkim zwierzęta udomowione – ale przecież także „każdy gatunek ptactwa", a więc i ptaki drapieżne. Chaos przekazu pogłębia druga wersja, dotycząca ilości futrzastych i pierzastych lokatorów; w tej Noe miał zabrać ze „zwierząt czystych" „po siedem samców i siedem samic, ze zwierząt zaś nieczystych, po jednej parze: samca i samicę" (Rdz 7, 2). Mocno dyskryminacyjny wydźwięk ma ten dokonany – w takiej chwili! – podział zwierząt na „lepsze" i „gorsze"; jego przyczyny i przydział do jednej z grup znajdujemy w Księdze Kapłańskiej (11, 3–23) i Księdze Powtórzonego Prawa (14, 3–21) – tyle tylko że owe księgi zostały napisane w pięć tysięcy lat po potopie! Co wskazywałoby, że zapożyczony od Sumerów opis

był potem przerabiany i przystosowywany do nowych czasów i obyczajów.

Brak drapieżników na arce wydaje się uzasadniony względami praktycznymi. Z uwagi na niezawiniony przez Noego niski poziom rozwoju techniki, brak chłodni i zamrażalni, zgromadzenie niezbędnych dla drapieżników zapasów mięsa na czas nieokreślony byłoby niemożliwe. Wątpliwe zaś, by lwy, hieny czy gepardy zechciały żywić się trawą, sałatą czy marchewką. Oczywiście przekwalifikowanie ich w tym kierunku przez Stwórcę byłoby czynnością łatwą i szybką, nic nam jednak o tym nie wiadomo. Inną możliwość stanowiło zgromadzenie na arce przewidzianych do zagryzienia i zjedzenia żywych ofiar, które nie wymagały żadnych środków konserwujących. Niestety, ze względów organizacyjno-przestrzennych powiększenie załogi o grupę skazańców, również potrzebujących pokarmu do chwili egzekucji, było operacją nie tylko niepraktyczną, ale i sprzeczną z ilościowym zamysłem Głównego Organizatora Potopu. Był również problem ilościowego nagromadzenia pasz – wszak czas trwania zagłady grzeszników i harmonogram wydarzeń nie został ujawniony i można było optymistycznie zakładać, że – z uwagi na potęgę i determinację Pana – rzecz zostanie rozstrzygnięta w trybie jeśli nie natychmiastowym, to z pewnością skutecznym. W praktyce okazało się inaczej – a jednak żadne ze zwierząt nie padło z głodu, co dobrze świadczy o umiejętności przewidywania i długofalowego planowania przez Noego.

To niezwykłe, że troska o zachowanie wszystkich gatunków zwierząt nie idzie w parze z podobnymi działaniami wobec rodzaju ludzkiego. A przecież w jego obrębie istniało antropologiczne zróżnicowanie! Tyle tylko, że próżno byłoby szukać o nim jakiejkolwiek wzmianki w Piśmie. Problem różnorodności cech antropologicznych ludzkości na stronach Biblii nie istnieje. Ludzie różnią się tu wyłącznie charakterami, wyraziście dzielą się na złych i dobrych – fizycznie natomiast stanowią jednolitą zbiorowość bez cech szczególnie wyróżniających; czasem jest to uroda kobiet lub wzrost i siła fizyczna (np. Goliata czy Samsona), są to jednak cechy indywidualne, a nie gatunkowe. Nawet późniejsi opisywacze zmagań Izraelitów z faraonem nie zauważyli w Egipcie ludów negroidalnych, które tam z pewnością mieszkały. Noe z rodziną stanowił tylko jedną gałąź rodzaju ludzkiego – pozostałe jednak nie były przewidziane do uratowania, zostały więc sklasyfikowane w podgrupie „przeznaczeni do wytępienia", a Noe o ułaskawienie skazańców nie występował...

Istnieje oczywiście możliwość, że różnicowanie rasowe rodzaju ludzkiego na trzy podstawowe i liczne lokalne odmiany w ramach zachodnich białoskórych, mongoidów i negroidów, a także australopiteków rozpoczęło się dopiero po potopie.

Wreszcie wszystkie trudności pokonane, arka wypełniona pasażerami, zapasy pokarmu dla ludzi i zwierząt zgromadzone, następuje odliczanie czasu do potopu. Jak długo trwały przygotowania? Możemy to określić tylko w dużym przybliżeniu. Wiemy, że „gdy Noe miał pięćset lat, urodzili mu się: Sem, Cham i Jafet" (Rdz 5, 32) – ale wtedy o potopie nie było jeszcze mowy. „Noe miał sześćset lat, gdy nastąpił potop na ziemi" (Rdz 7, 6) – a więc wszystko stało się w tym przedziale czasowym. Ale Sem, Cham i Jafet musieli już mieć swoje lata, gdy Noe otrzymał polecenie zbudowania arki, i musieli być w tym dziele pomocni. Uwzględniając biblijne proporcje wiekowe, można przyjąć, że całość operacji trwała ok. 40–50 lat, w czasie których ludzkość nie wykazywała ochoty do poprawy, konsekwentnie tkwiąc w swych grzesznych przyzwyczajeniach, gdyż potop nie został odwołany. Klamka zapadła – również dosłownie, bo kiedy Noe jako ostatni wszedł do arki, „Pan zamknął za nim drzwi" (Rdz 7, 16). Można było rozpoczynać potop, a przynajmniej próbne ulewy.

O tym, co działo się na arce przez – jak obliczono – 376 dni, kiedy to najpierw „przez 40 dni i 40 nocy padał deszcz na ziemię" (Rdz 7, 12), „a wody piętrzyły się nad ziemią przez 150 dni" (Rdz 7, 24), a potem trwały dni oczekiwania na pomyślny rozwój wypadków i próby rozpoznania sytuacji na ziemi – nie wiemy niemal nic. Żadnej informacji nie dostarcza biblijna Księga Rodzaju, nie istnieje dziennik pokładowy Noego, skazani jesteśmy wyłącznie na domysły i ludowe podania. Podobno szóstego dnia wypatrzono w wodzie jakiś masywny pień drzewa z przyczepionymi do niego i krzyczącymi coś ludźmi. W szumie deszczu i przewalających się fal trudno było zrozumieć, o co chodzi topielcom; zresztą wkrótce falująca woda oddaliła ich na znaczną odległość, ucichli więc i szczęśliwie zniknęli z pola widzenia.

Z upływem czasu początkowa atrakcyjność wodnego widowiska przechodziła stopniowo w codzienną deszczową monotonię, której jedynym urozmaiceniem były często widywane zwłoki ludzi i niezliczonych, często zupełnie nieznanych zwierząt. Mimo to osiem osób na arce mogło dość beztrosko ograniczać się do roli obserwatorów nadzwyczajnych wydarzeń przyrodniczych, podziwiać ich piękno i grozę, co było zupełnie nowym doświadczeniem ostatnich przedstawicieli ludzkości, a jedyną dolegliwość stanowiły komary i hałaśliwe zwierzęta – zwłaszcza nocne, a także sprawy ich zaopatrzenia, bo rodzina Noego otrzymała swego rodzaju „list żelazny", gwarantujący bezpieczeństwo i przeżycie. Zwierzęta nic jednak o tym nie wiedziały i były w panice. Jeśli jednak na arce nie było – jak wiele na to wskazuje – mięsożernych drapieżników, to główną powinnością załogi stało się zaopatrzenie zwierząt w różnego rodzaju trawy, zieleninę i ziarno, nawet jeśli te nieco spleśniały, co przy potopowej wilgotności łatwo mogło się zdarzyć.

To zajęcie było jednak obowiązkiem tylko połowy załogi – tej kobiecej, bo dla wyczerpanych budowniczych i łapaczy zwierząt nadszedł czas słodkiego kołysania się na falach. Noe musiał wysłuchiwać narzekań żon swoich synów na czynności związane z sanitarną stroną obsługi tabunu zwierząt i dowodzących, że do tej czynności należało wyłowić z wody topielców na belce, czemu dawał jednak słuszny i stanowczy odpór. Czterem dzielnym marynarzom brakowało tylko słońca i wygodnych leżaków, a nocą także jakiegokolwiek oświetlenia, ale czymże były te niedogodności wobec losu wszystkich dwunogów i czworonogów, które pozostały na zewnątrz arki? „Wody podnosiły się coraz bardziej nad ziemią tak, że zakryły wszystkie góry wysokie" (Rdz 7, 19), a Noe, Sem, Cham i Jafet kręcili młynka palcami. „Wszystkie istoty poruszające się na ziemi spośród ptactwa, bydła i innych zwierząt [...] wyginęły wraz ze wszystkimi ludźmi" (Rdz 7, 21); na zewnątrz rozgrywały się więc pełne grozy, tragiczne sceny zagłady – a oni opróżniali dzbany z winem, obserwowali lecące nie wiadomo skąd i dokąd bociany, wróżąc im marny koniec, i grali w kości. Dokuczliwa pora deszczowa psuła wprawdzie dobry nastrój, ale i ona skończyła się po 40 dniach, a wraz z pojawieniem się słońca życie na arce nabrało blasku i pewności rychłego zakończenia wodnej przygody.

Wtedy też, zarówno dla rozrywki, jak i w celu urozmaicenia jadłospisu, Noe zaczął ćwiczyć swoje umiejętności wędkarskie, łowiąc ryby z wykorzystaniem zwierząt pełzających, czyli kłębowiska dżdżownic, które w ponadnormatywnej liczbie zabrał przezornie na arkę w przekonaniu, że Pan nie będzie ich liczył. Sem, Cham i Jafet suszyli ryby w gorącym, odzyskanym słońcu i chrupali, przepijając winem, czasem nie zapominając o kobietach, a także rzucając nadmiar płetwiaków zwierzętom i obserwując hałaśliwe próby wyprzedzenia konkurenta. Śmiechom i zabawom nie było końca, chociaż dało się też słyszeć – tyleż gderliwe, co obelżywe – słowa o gamoniach, którzy nie zabrali soli na pokład.

Ale niespodziewanie nadeszły gorsze dni. Oto bowiem rozgrzana słońcem załoga korabia stwierdziła, że wraz z ustaniem deszczu zaczyna brakować na pokładzie niezbędnej do przeżycia wody. Pewne zapasy znajdowały się jeszcze w pustych dzbanach po winie, spożywanym – jak z opóźnieniem uznano – w zbyt wolnym tempie, lecz gdyby potop miał trwać przez czas dłuższy, sytuacja mogłaby stać się kłopotliwa. Niezmierzone wody unoszące arkę miały bowiem zniechęcający wygląd: pełne były śmieci, roślin, pływających zwłok ludzi i zwierząt, kłapiących szczęk krokodyli i rekinów, a także wężów morskich, smoków, meduz, ośmiornic o gigantycznych ramionach i innych przebrzydłych i przerażających stworzeń. Niektóre przypominały wciągające w głębiny lub prowadzące na zdradzieckie skały syreny, a czasem w ciemnościach z olbrzymich fal zdawał się wynurzać łeb potwornego Lewiatana, gotowego pochłonąć całą arkę i jej pasażerów. Szczęściem nikt nie miał pojęcia o miliardach chorobotwórczych mikroorganizmów i bakterii znajdujących się w wodzie, toteż gdy konieczność zmusiła wreszcie do jej zaczerpnięcia, niczego złego w niej nie znaleziono. Nie było też żadnych nieprzyjemnych skutków. Wszyscy rozumieli, że biegunki i drgawki, bóle brzucha i półprzytomne rzucawki, nieudolne próby przyjęcia pozycji pionowej stanowiły oczywisty i niezbity dowód złowrogich działań demonów i złych duchów, które przelatywały z wyciem i świstem nad arką, jak gdyby wróżąc ludziom nadchodzące nieszczęścia. Sprawdziło się to na zwierzętach, nad którymi owe ciemne moce nie miały żadnej władzy i które pozostały zdrowe, pomimo picia tej samej wody. Konieczność jej dostarczania wymagała jednak ciężkiej pracy, gdyż nawet próba nakłonienia żyrafy do sięgnięcia po wodę bezpośrednio z głębiny omal nie zakończyła się jej efektownym wypadnięciem za burtę.

I tak upływał czas, arka unosiła się po nieogarnionym dla ludzkiego oka wodnym żywiole, Noe zaś skrupulatnie odliczał dni potopu. Po 150 dobach oznajmił załodze, że poziom wód zaczyna opadać, czym wywołał jedynie rechot, bo ignoranci wskazywali, że na burcie statku woda sięga tak wysoko jak poprzednio, a statek wcale się nie wynurzył... Wobec takiego argumentu Noe podupadł nieco na duchu, ale wkrótce odzyskał moralną przewagę i triumfował, gdy „w pierwszym dniu miesiąca dziesiątego ukazały się szczyty gór" (Rdz 8, 5). Były daleko na horyzoncie, ale nawet żona Noego przyznała mu rację, chociaż z uwagi na jej krótkowzroczność zapewne z przyzwyczajenia.

A gdy minęło jeszcze tradycyjne 40 dni i zbocza gór odsłaniały się coraz bardziej, Noe postanowił poszukać suchego lądu i brzegu odpowiedniego do zakotwiczenia. Ponieważ jednak arka z jej prymitywnym napędem nie była zdolna do sprawnej żeglugi i tego rodzaju poszukiwań, Noe zdecydował się to zrobić z pomocą latającego zwiadowcy. W tym celu udał się na górny pokład do ptaszarni i złapawszy kruka za gardło, pomimo jego wrzasków wyciągnął go z klatki i wysłał w podróż (Rdz 8, 6). Gatunkowo był to trafny wybór, gdyż kruki to wyjątkowo inteligentne ptaki i na ich zwiadowczych talentach można było polegać, ekologicznie jednak – jak i w każdym innym przypadku – bardzo ryzykowny, bo gdyby kruka spotkało w drodze jakieś nieszczęście albo gdyby znalazł dogodne miejsce, wybrał wolność i nie wrócił do arki – gatunek kruków zostałby zgubiony. Jest jeszcze motyw rytualny – kruki jako ptaki „nieczyste" (Kpł 11, 15, Pwt 14, 14) nie nadawały się ani do złożenia w dziękczynnej ofierze całopalenia, ani do upieczenia na rożnie; należy jednak wykluczyć chęć pozbycia się czarnego posłańca przez Noego. Ale ptak wrócił – i wracał jeszcze kilka razy, dając świadectwo niesprzyjających warunków topograficznych całej okolicy. Noe powtarzał trzykrotnie ten manewr, ale już z „czystą" gołębicą (Kpł 1, 14; 5, 7), która w końcu nie wróciła, dekompletując w ten sposób parę, którą tworzyła na arce.

Noe zauważył, że ziemia zaczyna wysychać, a gwiazdy układają się w znak, który astrolog odczytałby jako „koniec potopu". Arka przybiła więc do brzegu lub osiadła na mieliźnie, Noe zaś zdusił niektóre podejrzenia, oświadczając rodzinie: To nie jest żaden Ararat, ciemnoto, i cieszcie się z tego, bo tam śnieg i mróz – i otrzymawszy polecenie od Pana, „wyszedł z arki wraz z synami, żoną i żonami swych synów. Wyszły też z arki wszelkie zwierzęta: różne gatunki zwierząt pełzających po ziemi i ptactwa, wszystko, co się porusza po ziemi" (Rdz 8, 18).

Koniec potopu... Załoga w komplecie – jedynie bez gołębicy. Jeśli można coś zarzucić Noemu, to tylko słabą znajomość fizyki, bo zgodnie z zasadą naczyń połączonych poziom wód na całej ziemi musiał się wyrównywać bardzo szybko i wysyłanie skrzydlatego zwiadowcy w poszukiwaniu suchego lądu było nieprzemyślane. Zwłaszcza że w jego czasach ziemia była zupełnie mała i płaska – a nie ogromna i kulista jak obecnie – i pływała po wielkim oceanie, przykryta aż po krańce kopułą firmamentu.

Koniec potopu... Rozpalono wielki ogień, pierwszy od wielu miesięcy, i upieczono znalezione przypadkiem – mocno nadpsute – zwłoki koziołka, ofiary powodzi. Zagryzane równie zepsutą cebulką z okrętowych zapasów, smakowały wyśmienicie. Był bal... Jedynych ludzi, którzy pozostali na Ziemi. A wokół nich całkowita pustka i cisza.

Czym jednak uzasadnić długotrwałość deszczów i utrzymywanie wysokiego poziomu wody przez 150 dni? Wszak potop nie był typowym kataklizmem przyrodniczym, lecz zaplanowanym, strategicznym działaniem, mającym określone cele – wyniszczenie niespełniającego oczekiwań Stwórcy rodzaju ludzkiego, a nawet części zwierząt. Taki cel można było osiągnąć w dowolnym czasie, stosując jedynie odpowiednio radykalne środki, np. regulowane natężenie opadów. Czy czas trwania potopu oznacza, że dopiero wtedy Najwyższa Inspekcja stwierdziła, iż – zgodnie z planem – nikt już na Ziemi nie pozostał żywy, poza pasażerami arki? A może robiono wcześniejsze takie próby, które nie dały zadowalających wyników i spowodowały przedłużenie akcji przez odkręcenie dodatkowych zaworów? Nigdy się tego nie dowiemy.

Czy jednak tej śmiercionośnej zagłady nie dało się uniknąć, czy była ona nieodwracalna? Pytanie nie jest bezzasadne. Oto bowiem już po katastrofie, gdy Noe opuścił arkę, „zbudował ołtarz dla Pana i wziąwszy ze wszystkich zwierząt czystych i ptaków czystych, złożył je w ofierze całopalnej na tym ołtarzu. Gdy Pan poczuł miłą woń, rzekł do siebie: «Nie będę już więcej złorzeczył ziemi ze względu na ludzi, bo usposobienie człowieka jest złe już od młodości. Przeto już nigdy nie zgładzę wszystkiego, co żyje, jak to uczyniłem»" (Rdz 8, 20–21). Pomińmy tu niefortunne i nielogiczne użycie spójnika „bo" zamiast właściwego „chociaż", oraz samokrytykę stworzenia człowieka – aż do poziomu złorzeczenia – jako dzieła nieudanego, a także kosmiczną przenikliwość umysłów biblijnych kronikarzy, bezbłędnie odczytujących myśli Pana i słowa, z których nikomu się nie zwierzał. Najważniejsza jest tutaj owa kulinarna wrażliwość Pana na „miłą woń" zwierząt ofiarnych (doceniana potem również w formie rytualnych nakazów w Księdze Kapłańskiej – 1, 9; 1, 13; 1, 17; 2, 2; 3, 5; 3, 16) – i jej wpływ na losy całej ludzkości. A gdyby Noe złożył ową tak zbawienną – chociaż okrutną – ofiarę znacznie wcześniej, jeszcze na etapie przygotowań do potopu? Czy wtedy deklaracja Pana nie byłaby identyczna i potop zostałby odwołany? Wolno przypuszczać, że tak by się właśnie stało. Ponadto istnieją tu jeszcze inne, dwuznaczne moralnie okoliczności. Ofiarę Noego można rozumieć jako wyraz wdzięczności za uratowanie jego rodziny od śmierci w wodnych głębinach – ale też jako łatwe i aspołeczne pogodzenie się z utratą wielu krewnych i znajomych, a także niezakwalifikowanych do żeglugi na arce zwierząt. I kimże były złożone na ołtarzu zwierzęta? Jeśli te same, które zostały przeznaczone do ocalenia na arce, byłby to przykład całkowicie bezmyślnego zniszczenia gatunków, które miały przetrwać – chyba że owo całopalenie odbyło się znacznie później, kiedy pojawiły się nowe pokolenia zwierząt, ale ta zwłoka obniżałaby walor samego aktu dziękczynienia. Z kontekstu zdaje się wynikać pierwsza możliwość, co tylko powiększa absurd całej sytuacji.

Tak więc zaniechanie ofiary całopalnej już w momencie zapowiedzi potopu przez Pana – pomimo że

Noe dysponował wtedy pełnym zestawem zwierząt ofiarnych – miało tragiczne skutki. Może nawet stał się w ten sposób mimowolnym współsprawcą potopu? Ale to wszystko należało już do przeszłości. Teraz Bóg oddaje Noemu i jego synom władzę nad całą ziemią, roślinami i zwierzętami, które powinny się ich bać i lękać (Rdz 9, 2), a zatem mają zostać ujarzmione, co nie dawało nadziei poprawnego ułożenia wzajemnych relacji, ale sprawdziło się przez tysiąclecia, ku pełnemu zadowoleniu jednej ze stron. Zapowiada też Bóg pełną ochronę życia, aż do groźby krwawego odwetu „jeśli kto przeleje krew ludzką" (Rdz 9, 6) – ale któżby to mógł być, skoro pozostała na Ziemi jedynie mała grupka wystraszonych nieszczęśników?

Lecz kiedy w dziesiątki wieków później Mojżesz, po zejściu z góry Synaj, zastał Izraelitów tańczących wokół złotego cielca szybko uczynionego bogiem – i fioletowy ze złości zarówno ich bałwochwalstwem, jak i kiczowatością figury, rozbił dwie kamienne tablice z Przykazaniami, a potem w przypływie narastającej furii zarządził widowiskową masakrę, tak że „zabito w tym dniu około trzech tysięcy mężów" (Wj 32, 28) – nie było nikogo, kto by przelał krew jego. Również Pan okazał się dla niego nadzwyczaj wyrozumiały, bo w czasie audiencji następnego dnia nie wspomniał nawet o tym drobnym incydencie, zapowiadając jedynie ukaranie wielbicieli złotego czworonoga (Wj 32, 34) – jakby jeszcze żadnej kary nie ponieśli! A i potem, zdobywając Jerycho, Izraelici zabijali „mężczyzn i kobiety, dzieci i starców, woły, owce i osły" (Joz 6, 21), czy miasto Aj, kiedy to „mieszkańców pobili tak, że nikt z nich nie pozostał żywy ani też nikt nie uszedł" (Joz 8, 22). Lecz i to było niczym wobec bitwy pod Gedeonem, gdzie nie tylko Jozue pokonał koalicję Amorytów, ale i sam Pan „raził ich z nieba

ogromnymi kamieniami [...] i tak poginęli" (Joz 10, 11);
rzezie i pogromy towarzyszą następnie zdobyciu sześciu
miast (Joz 10, 28, 43) etc.

Teraz jednak Bóg zawiera z Noem drugie już – ale
pierwsze po potopie – przymierze (Rdz 9, 9–11), będące
w zasadzie powtórzeniem obietnicy rezygnacji z działań
represyjnych za niegodziwości ludzkie, złożonej, „gdy
Pan poczuł miłą woń" ofiary Noego. To przymierze
otrzymuje jednak niezwykle efektowny, wielokolorowy
i rozpięty na firmamencie symbol – znak w kształcie
łuku tęczy, będący gwarancją Pana w słowach: „gdy
ukaże się ten łuk na obłokach, wtedy wspomnę na moje
przymierze [...] i nie będzie już nigdy wód potopu na
zniszczenie żadnego istnienia" (Rdz 9, 14–15). Jeśli zauważyć, że Bóg zadeklarował, iż przymierze to jest „na
wieczne czasy" (Rdz 9, 12) – to z perspektywy setek
i tysięcy lat należy je ocenić jako niedotrzymane.

Pozostał jeszcze problem odnalezienia się w nowej
rzeczywistości. Krajobraz po potopie zmienił się całkowicie, ludzie z arki nie wiedzieli, gdzie się znajdują,
i nie poznaliby swej okolicy, nawet gdyby się w niej
znaleźli. Nie istniały żadne punkty orientacyjne jak
gliniane i kamienne zagrody, drzewa, skały, głazy, wydeptane ścieżki czy wcześniejsze kierunkowskazy w rodzaju: Kraina Nod – 42 dni, Pole Kainowe – 107 dni,
Rzeka Piszon – 78 dni, Wielkie Morze Potworów – 230
dni, Raj zwany Eden – całe życie; wszystko pokrywała
gruba warstwa mułu i błota, w których gdzieniegdzie
szamotały się jakieś wodne maszkary. Właściwie byłby
pożądany nowy, choćby skromniejszy potop, który
usunąłby skutki poprzedniego i przywrócił ziemię
do stanu używalności. O tym zagubieniu w bezkres-
nej szlamowej pustce mówi song Jafeta usiłującego
śpiewać:

Czy to Azja, czy Afryka
Czy kraina inna dzika...

I deszcz – tym razem upragniony, życiodajny i obfity – rzeczywiście spadł, likwidując skutki karzącego potopu. Przywrócił zieloność traw na polach, łąkach i wzgórzach i tym samym pastwiska dla zwierząt, które po wyjściu z arki były dokarmiane resztkami zgromadzonych zapasów i najchętniej by do arki wróciły. Tylko ptaki brodzące znajdowały korzystne warunki do bytowania i wydawały się całkiem zadowolone, czego o innych fruwających i o czworonogach powiedzieć nie można. Noe, który miał poczucie całkowitej obcości w miejscu zatrzymania się arki i nawet słońce wydawało mu się wschodzić nie tam, gdzie powinno – stopniowo powracał do roli gospodarza, obsiewając pole pszenicą, sadząc jarzyny, drzewa owocowe, a na słonecznych wzgórzach krzewy białej winorośli. Wszystko układało się coraz lepiej. Wraz z rodziną mieszkał w dobrych warunkach na arce i był w doskonałej formie. Wszak po potopie żył jeszcze 350 lat (Rdz 9, 28)! Miał zapewnione przymierze z Panem i nie musiał się nikogo obawiać – zwłaszcza że jego klan, rozrastający się stopniowo w plemię Noemitów, był jedynym na Ziemi. Wraz z upływem czasu, odchodzeniem w niepamięć doświadczeń potopu i przejmowaniem rolniczo-hodowlanych obowiązków przez innych Noe coraz bardziej korzystał z uroków życia emeryta. Nie zwiedzał co prawda z różnych powodów – m.in. słabej znajomości geografii, braku atlasu i stosownego pojazdu – egzotycznych krajów, oddawał się za to rozkoszom podniebienia. Zajadając z upodobaniem pieczyste z rożna, rzadko przestrzegał nakazanego odgórnie podziału zwierząt na „czyste" i „nieczyste", słusznie mniemając, że rytualne obostrzenia i rygory nie obowiązują osób w wieku emerytalnym, i pochłaniał wszystko, co znalazło się w zasięgu jego wzroku... a ten miał doskonały. Obfity jadłospis znakomicie komponował mu się z napojami własnego wyrobu – winem i piwem, których był wybitnym koneserem i uznanym autorytetem. Znaczne sukcesy odnosił też w łowieniu ryb i raków, stał się nałogowym uczestnikiem różnych – chociaż prymitywnych na miarę epoki – gier hazardowych. Czasem przechwalał się planami napisania wspomnień z długiego żywota i dramatycznych przeżyć, ale z niewiadomych powodów tego nie uczynił.

Dostojny i zasłużony senior rodu tylko raz okazał pewną słabość, która jednak – paradoksalnie – zapewniła mu trwałe miejsce w historii i ogromną popularność. Stało się to w wyniku nadużycia wina o znacznej zawartości alkoholu w swojej letniej rezydencji w rodzaju pasterskiego szałasu, wskutek czego Noe zaczął objawiać atawistyczne skłonności do powrotu do obyczajów swych rajskich praojców – Adama i Ewy, którzy nie odczuwali potrzeby okrywania ciała zbytecznymi szatami. Krótko mówiąc, oszołomiony Noe leżał nago w szałasie, gdzie w takim stanie znalazł go Cham i z pomocą Sema i Jafeta przykrył kawałkiem derki, używanej zwykle do wyściełania siedzenia na wielbłądzie. „Kiedy Noe obudził się po odurzeniu winem i dowiedział się, co uczynił mu jego młodszy syn, rzekł: «Niech będzie przeklęty Kanaan»"! (Rdz 9, 24–25). Kanaan był synem Chama. To, że Noe rzucił klątwę w stylu średniowiecznych papieży na swego wnuka, zaledwie stuletniego i w dodatku nieobecnego w tym miejscu młokosa, można złożyć na karb jego pewnej niepoczytalności. Natomiast sam fakt zastosowania klątwy, czyli kary wykluczenia ze społeczności z powodów, które sam sprowokował, i za postępek synalków, który zasługiwał najwyżej na parę tradycyjnych przedpotopowych jeszcze wyzwisk i obelg – obciąża niewątpliwie jego hipotekę jako „męża nieskazitelnego". Czy wobec tego zasługiwał, jako jeden z niewielu, na objęcie parasolem ochronnym przed wodnym kataklizmem?

Nie chcemy tego oceniać zwłaszcza, że „umarł Noe w wieku lat dziewięciuset pięćdziesięciu" (Rdz 9, 29). Nigdy nie miał się dowiedzieć, że hen, daleko, gdzieś na krańcu świata, już utworzyła się gigantyczna góra lodowa, w którą po tysiącach lat uderzy największy statek pasażerski, przy którego wielkości i wspaniałości, technice nawigacyjnej i przepychu rozświetlonych salonów jego arka była niczym łajba rybacka. I że wraz z zatopionym szóstego dnia podróży olbrzymem morze pochłonie ponad 1500 osób, co nie spotkało jego korabia po 376 dniach potopu. Ale arka uchroniła przed zagładą ostatnich przedstawicieli ludzkości, a utonięcie owych 1500 ludzi nie miało żadnego znaczenia – pozostało ich wszak na Ziemi jeszcze ok. 2 miliardów! Umarł więc Noe, mąż sprawiedliwy... Cześć jego pamięci.

Jak budowano wieżę Babel

"MIESZKAŃCY całej ziemi mieli jedną mowę [...].
I mówili jeden do drugiego: «Chodźcie, wyrabiajmy cegłę i wypalmy ją w ogniu»" (Rdz 11, 1–3).
Tak było. Ludzkość zdążyła się już odbudować po
katastrofalnym potopie, a potomkowie Sema, Chama
i Jafeta zasiedlili liczne ziemie, wyspy i nadmorskie
wybrzeża, opanowali liczne umiejętności, a nawet dali
początek nowym specjalnościom, jak ów mocarz Ni-
mrod, który był „najsławniejszym na ziemi myśliwym"
(Rdz 10, 8–9). Nie był on jednak pionierem specjali-
zacji, bo jeszcze przed potopem potomek w szóstym
pokoleniu zawistnego o swą pozycję wobec Pana Kaina,
niejaki Jubal, grał pasącym się stadom owiec, osłów
i wielbłądów na cytrze i flecie (Rdz 4, 21), a zapewne był
także wynalazcą i konstruktorem tych instrumentów,
a więc człowiekiem wyrastającym ponad swych dosyć
tępawych pobratymców, zdolnych najwyżej do walenia
pałką w obciągnięty skórą pień drzewa. A i jego brat
Tubal-Kain był człowiekiem niezmiernie utalentowa-
nym, praktycznym i bezkompromisowym: postanowił
zostać kowalem i wyrabiał wszelkie narzędzia z brązu
i żelaza (Rdz 4, 22), nie zwracając uwagi na fakt, że owe
metale nie zostały jeszcze wynalezione.

Ale oto pojawili się miłośnicy postępu i ceramiki wy-
palanej, którzy przyszli ze wschodu (Rdz 11, 2). Zapewne
byli to pierwotni mieszkańcy potężnego masywu gór-
skiego Hindukuszu, co tłumaczyłoby, dlaczego ominęła
ich klęska potopu. Gdy opuściwszy mało gościnne góry,
napotkali żyzne doliny i równiny Szinear (Rdz 11, 2),
zrozumieli, że tu jest ich miejsce na ziemi. Przejście
od wypasania owiec i kóz na górskich zboczach do
osiadłego trybu życia nie było łatwe. Minęło wiele pokoleń, zanim opanowali umiejętności kopania, grzebania
i dłubania w ziemi, siania zbóż, sadzenia i zbierania

jarzyn, owoców – ale także niezbędnych w gospodarstwie innych czynności, jak młócka przy użyciu kopyt baranów, dopóki jakiś genialny wynalazca nie wpadł na pomysł skonstruowania wymyślnego urządzenia zwanego cepem. Inny wprowadził w osłupienie społeczność propozycją wynalezienia koła, co więcej, sam się podjął tego zadania i wynalazł, zbudował je z wikliny i łodyg trzciny – a nawet dwa: jedno większe, a drugie jeszcze większe! Byli wynalazcy toporków kamiennych i łuków – bezużytecznych do czasu, gdy ktoś zorientował się, że potrzebne są jeszcze strzały. Nie wszystko się udawało. Ubrania szyte z liści papirusu i tataraku za pomocą igły z ości ryby rozlatywały się natychmiast, choć niektórzy upatrywali powodu w braku jakichś nici; ktoś sporządził drewniany ozdobny trzonek i był bliski wynalezienia łyżki, ale tu zabrakło mu nieco wyobraźni; to znów złe duchy powodowały nalot szarańczy na pola i drzewa albo ataki ślimaków i gąsienic...

A jednak pomimo tych drobnych niepowodzeń społeczność ta wykazywała coraz większe umiejętności w zakresie upraw, hodowli i rzemiosła. Ale nie tylko. W biblijnym opisie wspomnianej na początku inicjatywy godna uwagi jest zarówno prostota pomysłu, jak i determinacja w dążeniu do celu. „Chodźcie, wyrabiajmy cegłę".... – cóż bardziej naturalnego w okolicach zalewowych obszarów Dwurzecza, gdzie podstawowego surowca, czyli gliny, nigdy nie mogło zabraknąć? Zarazem była to wyprzedzająca epokę pierwsza próba zorganizowania lokalnej społeczności wokół wspólnego zadania, mająca walory integracyjne i wychowawcze, a zatem przełamująca dotychczasową skłonność do działań na poziomie jednostkowym i rodzinnym, z korzyścią dla nielicznych.

W praktyce jednak, jak to często bywa, prosty ów pomysł okazał się niełatwy w realizacji. Należało najpierw wykonać prace przygotowawcze, jak rozpoznanie najwłaściwszego terenu, sporządzenie dużych ilości podstawowych narzędzi i sprzętu, w tym drewnianych form do gliny, zorganizowanie transportu surowca, wody i słomy. Niezbędna stała się więc dobra organizacja robót, z podziałem zadań dla różnych grup zawodowych. Zatrudnienie wielu ludzi w rzemieślniczych manufakturach spowodowało jednak ich niedobór wśród uprawiających zboże rolników i hodowców bydła, na których spadły dodatkowe obowiązki wyżywienia całej populacji. Mimo to świadomość wielkości celu nie pozwoliła na odstąpienie od jego realizacji – zwłaszcza że dzieło miało zawierać elementy wyższej technologii w postaci wypalania produktu, co ogromnie podnosiło jego użytkowe i konstrukcyjne walory.

Prace ruszyły. Nie wiadomo, jakie gromady ludzi i w jakim systemie pracowały przy ceglanym rzemiośle. Czy brali w nim udział ludzie różnych plemion, czy też niewolnicy, służba i zwyczajne pospólstwo, pod nadzorem – a może i batogiem – lokalnych nadzorców i ekonomów. Czym innym bowiem jest podejmowanie rozwojowych, czasem strategicznych decyzji gospodarczych, a czym innym ich wykonywanie, do czego najbardziej nadają się tzw. niziny społeczne, mające odpowiedni respekt dla zwierzchności. Ale to zapewne spośród nich awansowano do roli drwali największych osiłków do ścinania i transportu drzew niezbędnych do wypalania cegły. Oni sami zaś szczycili się tym wyróżnieniem, jako grupa elitarna pod nazwą „katorżnicy leśni", z przywilejem pracy od jednego pełnego księżyca do drugiego, bez dnia przerwy.

Ekipy kopaczy gliny i tych przy formowaniu cegieł, transporcie surowca i materiałów pomocniczych pracowały z pełnym zaangażowaniem. Płonęły piece wypalaczy, buchające płomieniami i strzelające efektownymi iskrami. A wieczorami, przy dźwiękach fletu jakiegoś utalentowanego następcy Jubala, rozlegała się chóralna pieśń, w której dałoby się usłyszeć zawodzenie w rodzaju „Ej, uchniem… ej, uchniem…". Rosły stosy gotowych cegieł, a najtęższe nawet umysły miały trudności z ich liczeniem, jako że wszystko, co wykraczało poza liczbę palców rąk i nóg, wydawało się liczbą ogromną i nie do objęcia rozumem. Nikt nie określił, ile cegieł należy wyprodukować, aby była wystarczająca – ale też, z uwagi na powyższe ograniczenia, nikt nie potrafiłby tego zrobić, co oznaczało konieczność prowadzenia prac aż do całkowitego wyczerpania zasobów surowcowych i ludzi.

Teraz jednak nastąpił przełom, dzięki któremu dotychczasowa nieprzemyślana i będąca celem samym w sobie produkcja została ukierunkowana na niezwykły pomysł inwestycyjny. Musiało to wreszcie nastąpić, w momencie gdy zasoby gotowych cegieł zaczęły już górować nad otoczeniem i zasłaniać horyzont. Nie wiadomo, kto był inicjatorem pomysłu, że „zbudujemy sobie miasto i wieżę, której wierzchołek będzie sięgał nieba, i w ten sposób zdobędziemy sobie imię, abyśmy się nie rozproszyli po całej ziemi" (Rdz 11, 4). Ale taką właśnie uchwałę podjęło walne zgromadzenie plemion Pomostowców, Lewiciarzy, Moherytów, Obrotowych, Palizwierzy, Kapiszonów i innych, a wszystkie – z uwagi na rodzaj spożywanych napojów – zjednoczone w niechęci do Mlekopijów, których nie obchodziło nic, poza dojeniem kóz i wielbłądów.

Nie obeszło się bez sporów i rozdźwięków. Niektórzy dowodzili, że budowa tak wysokiej wieży, bez jasno określonej funkcjonalności, jest marnowaniem sił i środków. Inni zwracali uwagę na egoistyczny motyw budowy, mający na celu wyłącznie własną chwałę, w celu zdobycia uznania i poklasku sąsiadów. Jeszcze inni krytycznie oceniali wewnętrzne sprzeczności w uchwale, jako że „zdobycie imienia" przy wznoszeniu wieży bynajmniej nie zapobiega późniejszemu rozproszeniu ludzi po całej ziemi. Rozgniewani Lewiciarze i Palizwierze gardłowali za znacznie pożyteczniejszą – ich zdaniem – budową murów obronnych, szałasów dla znachorów i zielarzy, ścieżek na błotnistych terenach, uruchomieniem kursów dla wyplataczy koszy i sieci, dla ratowników wpadających w grzęzawiska nie głębiej niż do pasa, organizowania kursów obrony przed wampirami, nauki odpędzania złych duchów, a nawet za humanitarnym wyposażeniem w maczugi małych jaskiniowców mieszkających gromadnie w pobliskich górach. Jednak nie tylko uznano ich za niepoczytalnych i wnioskowano o ukamienowanie kilku prowodyrów (co wykonano szybko i sprawnie), ale i postanowiono budować liczne obiekty dla szczepowych i plemiennych czarowników. Obowiązki świadczenia hojnych darów na ich rzecz mieli wszyscy mieszkańcy, niezależnie od poglądów na temat celowości budowy wieży – a czarownikom nakazano prowadzenie izby tortur, za co mieli otrzymywać dodatek motywacyjny w postaci jednej kury od każdego torturowanego; czarownicy zapewnili, że odtąd już nigdy rosołu im nie zabraknie. Pozostali rozłamowcy i wichrzyciele prawie dobrowolnie przyznali się do ulegania wpływom i machinacjom ciemnych i nieznanych sił, w czym największy udział mieli Moheryci – dowodzący, że dzięki wieży do chmur cały lud znajdzie się bliżej Pana. Nie przewidzieli, że ta nadgorliwość obróci się przeciwko nim.

Tak więc proces decyzyjny został zakończony. Pozostawało przejść do najtrudniejszego zadania – wznoszenia gigantycznej wieży. Była to inwestycja pionierska, należało więc z braku doświadczeń innych polegać jedynie na własnych umiejętnościach, w których nie było miejsca na metodę prób i błędów. Skąpość materiału źródłowego nie pozwala wnioskować, czy istniał projekt architektoniczny obiektu, zatwierdzony przez Radę Starszych, czy też – od pewnego etapu – budowa odbywała się metodą intuicyjnej improwizacji. W każdym razie musiała nad nią czuwać i koordynować działania grupa takich doświadczonych nadzorców, którzy już w trakcie formowania cegieł nauczyli się sprawnie wymachiwać batogiem. Pod ich czujnym okiem gromady ochotników uwijały się wokół czworokątnej podstawy, ubijając ziemię stopami z takim zapałem, że dudnienie dało się słyszeć w całej okolicy. Gdy najwybitniejsi fachowcy od robót ziemnych i fortyfikacji uznali grunt za należycie przygotowany, przyprowadzono grupę jeńców zdobytych w jakiejś wyprawie wojennej, którym ceremonialnie i przy biciu w bębny poderżnięto gardła, aby ich krew zapewniła pomyślność miejscu wznoszenia historycznej budowli. Rytualne tańce, śpiewy i spożywanie napojów rozweselających trwały potem aż do rana.

A gdy następnego dnia zbiorowym truchtaniem na przemian z galopadą wokół całego placu budowy (aż do pojawienia się pierwszych nieżywych), wrzaskami i przeraźliwym gwizdem piszczałek oraz odymianiem pochodniami i ziołami przepędzono prawie wszystkie demony (z wyjątkiem kilku najbardziej przebiegłych) nic już nie przeszkadzało w rozpoczęciu epokowej budowy wieży. Odtąd codziennością stały się długie rzędy dwunożnych transporterów, którzy jak mrówki dostarczali na udeptaną ziemię wciąż nowe i nowe zasoby materiałów budowlanych – w tym nie tylko cegłę, ale i zaprawę w postaci smoły (Rdz 11, 3). Pozornie oznaczało to nadmierną rozrzutność, skoro – jak wiemy – mieszkańcy mieli też zwyczajną zaprawę murarską, a pozyskiwanie i transport smoły z innych obszarów stwarzały dodatkowe problemy, ale dostrzegamy w tym przemyślaną strategię budowy, w której nie można było sobie pozwolić na żadne ryzyko wobec jej ogromu i pionierskiego charakteru. Nie było też miejsca na pośpiech; słusznie postawiono na jakość i dokładność, starannie układając i sprawdzając każdą kolejną warstwę oraz jej wypoziomowanie. Schodowy, piramidalny kształt budowli umożliwiał przemieszczanie ludzi i materiałów na coraz wyższe poziomy, ale postęp robót wymagał też zatrudniania coraz większej rzeszy specjalistów w konfiguracji pionowej. Nie wszyscy to wytrzymywali i nie wszyscy się nadawali; niektórzy zaczynali cierpieć na lęk wysokości już na poziomie pierwszej warstwy cegieł – tych wykpiwano i odsyłano w ramach resocjalizacji do kolonii karnej we wnętrzu ziejącego ogniem wulkanu, gdzie przebywali już ich poprzednicy, umieszczeni tam z powodu słabych osiągnięć w likwidowaniu osobników z wrogich plemion albo nieudolnego przyswajania ich dóbr. Ale zarazem budowlani, wspinający się na najwyższe piętra, odporni na atmosferyczne i fizjologiczne zjawiska, byli awansowani do roli brygadzistów, z prawem do postawienia stopy na samym szczycie – oczywiście po naczelnikach plemion, którzy mieli zastrzeżone prawo wzniesienia tam triumfalnego okrzyku przy udziale czarowników z ich rytualnym odymianiem i nakrapianiem wierzbowymi witkami wodą ze świętej rzeki. W ten sposób narastała wciąż motywacja do pracy, a wraz z nią duma i pewność siebie wykonawców.

I tak wieża, chociaż powoli, jednak rosła i rosła. I to pomimo coraz trudniejszych warunków transportu oraz bezpośredniej łączności między ziemią i miejscem robót na wysokości – zwłaszcza w te dni, kiedy przywiane wiatrem wschodnim złośliwe demony rozpylały nad okolicą sztuczną mgłę, ograniczając znacznie widoczność i doprowadzając nieraz do groźnego w skutkach zderzenia nosicieli cegieł. Udeptywane wieloma stopami wąskie ścieżki zamieniały się stopniowo w szerokie drogi – zwłaszcza że wokół wieży powstawało wielkie ceglane obozowisko zwane „miastem", które również miało służyć „zdobywaniu sobie imienia". Należy zauważyć, że użytkowe i funkcjonalne cele owego przedsięwzięcia zostały tu zupełnie pominięte jako nieistotne wobec jego symbolicznego znaczenia i uznania dla wielkości i twórców całego dzieła. A wraz z postępem robót umacniała się pewność i przekonanie, że programowe założenie o budowie wieży „sięgającej do nieba", ma wszelkie szanse powodzenia.

A jednak zaczęły się pojawiać pewne niepokojące sygnały. Zdarzyło się, że bez żadnego wyraźnego powodu znaleziono na ziemi, a także na różnych poziomach piramidy, ciała kilku takich desperatów i zuchwalców, którzy bez obawy wspinali się na najwyższe piętra budowli i gotowi byli sięgać jeszcze wyżej. Później – nie wiadomo, w jakich okolicznościach – wiadra smoły oblały pięciu wspinaczy, a z niespodziewanej burzowej chmury wystrzelił ognisty smok, uderzając w wierzchołek piramidy i nadwyrężając jej niezachwianą – zdawałoby się – potęgę.

Ale najgorsze miało dopiero nadejść.

Zdarzyło się któregoś dnia, że gdy brygadziści zamierzali jak zwykle omówić harmonogram i przydział prac dla poszczególnych grup pracowników – ci zaczęli wytrzeszczać oczy i bełkotać coś niezrozumiale, jakby nie wiedząc, co do nich mówiono. Stopniowo narastający rozgwar stawał się coraz donośniejszy, chaos zaczynał się zamieniać w ogólną szarpaninę, której przyczyn trudno się było doszukać. W powietrzu krzyżowały się jakieś dziwne słowa, których nikt dotychczas nie słyszał, a jedyne, które nadzorca zdołał wyróżnić wśród ogólnego harmideru, przy kolejnej próbie wysłania tłumu do zajęć, przypominały jakby „paszoł won" – ale co miałyby znaczyć, nie udało mu się ustalić. Rozzłoszczony, zaczął okładać kijem najbliższego robotnika, ale to nie przywróciło porządku i porozumienia. Zamieszanie powiększali jeszcze bardziej ci, którzy pracowali przy budowie miasta – wśród nich również element przestępczy – i zwabieni awanturą przybyli na miejsce tumultu. Tu okazało się, że oni również zostali dotknięci tym dziwnym zawirowaniem językowym, które nie pozwalało teraz zrozumieć nawet bliskich krewnych i znajomych. Wielu – wiedzionych naturalnym instynktem – usiłowało zwrócić się do czarowników o wyjaśnienie przyczyn tej dziwnej choroby, bo że o jakąś tajemniczą chorobę chodziło, nikt nie wątpił – ale jej ciężkie objawy spowodowały, że i czarownicy okazali się na nią mało odporni i kontaktowi. Więc chociaż mówili jeszcze więcej niż zazwyczaj, popierając słowa gwałtowną gestykulacją, to ich wyjaśnienia nie trafiały do uszu petentów. Próbowano zorganizować zebranie nadzoru budowlanego, aby opracować środki zaradcze, ale okazało się, że i tu nieznana choroba poczyniła spustoszenia i większość specjalistów nie była w stanie znaleźć wspólnego języka, a nawet zrozumieć czegokolwiek z wystąpień innych; żadne środki zaradcze w postaci modłów i zaklęć nie pomagały. Spotkanie zakończyło się zakreślaniem kółek na czole i wymachiwaniem rękami oraz próbami rękoczynów.

Powszechna epidemia językowa, która tak utrudniła wymianę myśli, praktycznie sparaliżowała życie rodzinne i społeczne. Stopniowo ci, których dotknęła ta sama choroba, zaczęli się odnajdywać i organizować wokół odrębnych grup zawodowych i plemiennych. Zanim to jednak nastąpiło, inwestycja, która miała zapewnić nieśmiertelną sławę jej twórcom oraz zintegrować różnorodną społeczność tych plemion, które się do tej wspólnoty przyznawały – zaczynała popadać w ruinę jeszcze przed ukończeniem. Nie udało się przezwyciężyć barier językowych, które w niepojęty sposób podzieliły jednolite dotychczas narzecze nieustraszonych budowniczych wieży.

Musiała minąć cała epoka, zanim jednostkowe wydarzenia – wraz z ostatecznym czynnikiem, który przypieczętował smutny los wieży, czyli dezorganizującą wszelkie działania gmatwaninę językową – stały się bardziej wyraziste i zrozumiałe. Bo nie był to przypadek, lecz „Pan zstąpił z nieba, by zobaczyć to miasto i wieżę, które budowali ludzie" (Rdz 11, 5). Niezadowolenie z inspekcji Pan wyraził wtedy ostrzegawczymi sygnałami, które jednak nie były właściwie rozpoznane i zostały zignorowane. Przyczynę trwającej nadal budowy Pan upatrywał w łatwości porozumiewania się tych ludzi dzięki jednolitej strukturze językowej, zarówno w zakresie gramatyki, jak i słownictwa oraz wymowy – i z zaniepokojeniem przewidywał, że z tego powodu w przyszłości nic nie będzie dla nich niemożliwe (Rdz 11, 6). Postanowił zatem podjąć środki zaradcze, co wyraził słowami: „Zejdźmy więc i pomieszajmy tam ich język, aby jeden nie rozumiał drugiego" (Rdz 11, 7).

Tak też się stało, ze wspomnianymi wyżej skutkami. Niechęć do widoku tak wysokiej konstrukcji zdaje się wskazywać, że Pan mieszkał wtedy znacznie niżej niż obecnie i nie życzył sobie tak bezpośredniej bliskości z mieszkańcami równiny, jaką przejawiał później wobec Izraelitów – chociaż trudno pojąć, jak to się stało, że wieżę ustawiono akurat w tak newralgicznym punkcie. Jeszcze trudniej zrozumieć obawy Stwórcy przed dokonaniami inwestycyjnymi ludzi na skalę większą od dotychczasowej – wszak żadne, nawet w przybliżeniu, nie byłyby w stanie dorównać wielkości Jego Dzieła, więc jakakolwiek rywalizacja w tym zakresie miałaby wymiar groteskowy.

Mamy tu do czynienia z częstym w dziejach ludzkości i prawodawstwa przypadkiem nieproporcjonalnej zależności między winą i karą, jeśli istotnie budowa i lokalizacja wieży na jakąś karę zasługiwała. Ponadto rozproszenie ludzi „po całej ziemi" oznaczało całkowite unicestwienie podstawowego założenia ideowego budowy, która miała właśnie owemu rozproszeniu zapobiegać i przeciwdziałać. Tak konfrontacyjny charakter działań Pana musiał mieć jakieś głębsze niż tylko represyjne przyczyny.

Niestety, jesteśmy skazani jedynie na domysły. Może owo dyskryminacyjnie brzmiące rozproszenie miało oznaczać próbę bardziej równomiernego rozmieszczenia populacji według wytycznych danych jeszcze pierwszym ludziom w Raju: „Bądźcie płodni i rozmnażajcie się, abyście zaludnili ziemię i uczynili ją sobie poddaną..." (Rdz 1, 28) – zwłaszcza że po klęsce potopu większość ziemi stanowiła pustkowie oczekujące licznych przybyszów? To nie tyle akcja przesiedleńcza, mająca zwykle podtekst polityczny, co osadnicza, o cechach planowania gospodarczego, pierwsza tego rodzaju w dziejach ludzkości – i zupełnie inna w zamyśle niż karne wypędzenie z Raju, które obejmowało tylko dwie osoby, lub jednostkowa „ekstradycja" Kaina.

A opuszczona i niedokończona Wieża Trwania Imion stopniowo zamieniała się w ruinę, stając się miejscem zamieszkiwania kruków, kawek, gołębi i innych ptaków, a także gryzoni, które w kruszących się murach znajdowały dogodne schronienie – na równi z jaszczurkami i wężami. Mury zaczęły obrastać zielonym mchem, a w szczelinach wyrastały trawy, krzewy, a nawet okazałe drzewa rozsadzające korzeniami strukturę wieży. Burze i ściekająca woda dobrze wypełniały swą destrukcyjną funkcję. A z czasem huraganowy pustynny wiatr wraz z deszczowymi monsunami dopełnił dzieła zniszczenia.

Co jednak stało się z budowniczymi słynnej wieży i ich następcami? Mając na uwadze nieprzemyślany, impulsywny pomysł gorących głów, by masowo produkować gliniane wyroby, wyprzedzający cel ich zastosowania, a potem ową skłonność do gigantomanii w postaci budowy wieży do nieba, wyrażający pyszałkowatą chęć górowania nad innymi plemionami bez względu na koszty i ofiary, co wreszcie doprowadziło do konfliktu ze Stwórcą i nieuchronnej, acz niebranej pod uwagę przez butnych, rzucających Mu wyzwanie budowniczych, katastrofy – można niebezzasadnie przypuszczać, że w tych działaniach objawia się po raz pierwszy pierwotne plemię znane później pod nazwą Sarmatów. Rozmnożone przez dziesiątki pokoleń, zasiedliło drogą podbojów okolice Morza Czarnego i Dunaju, a potem opanowało obszary nad takimi rzekami jak Wisła, Narew, Bug, Warta – dając początek warstwie społecznej zwanej szlachtą, od jakże znakomicie określającego ich zalety przymiotnika „szlachetny”, który sami uznali za najlepszy.

Niestety, wraz z przejmowaniem dominującej pozycji w społecznej hierarchii zaczęły się objawiać ludzkie słabości w postaci rozluźniania dawnych reguł moralnych i dyscypliny wykazywanej w takcie budowy wieży. Pozostały wprawdzie wojowniczość i odwaga, rozwinięte w czasie podbojów nowych ziem i obszarów, ale pojawiła się też skłonność do burd i awantur, warcholstwa i opilstwa, przemocy i lekceważenia prawa, a dawną bogobojność zastąpiły dość prymitywne i pokazowe formy kultu zwane dewocją.

Ale nie to było najgorsze. „Szlachetni" – według własnego mniemania – umocnili się z biegiem czasu w przekonaniu, że wojny, wyprawy obronne i napastnicze, grabieże i rabunki wrogich ziem, zamków i ludzi, własnych nie wykluczając, są zajęciami na miarę ich potrzeb i znaczenia, ale wszelka praca fizyczna, zwłaszcza na roli, uwłacza ich godności. Słusznie uznali więc, że lepiej nadaje się do tego dawna osiadła ludność, przystosowana już do grzebania w ziemi zwłaszcza w ulubionej pozycji na kolanach, machania sierpem i cepem, wypasania gąsek i kózek, co zresztą stanowi jej naturalną potrzebę, zamiłowanie i powołanie. Tych to tubylców określili ogólnym mianem „chamstwa", od imienia biblijnego Chama, który nie wykazał żadnego szacunku wobec pijackich słabości i ekscesów swego ojca Noego, a wszak od brudnych, bosych, obszarpanych i niby zagłodzonych, za to często pijanych szumowin i nizin społecznych, podobnych wyglądem do obrzydliwych robali, nie należało oczekiwać innych zachowań.

I rzeczywiście, chamstwo owo nie było świadome czci, jaką winno mieć wobec szlachetnie urodzonych, ani obowiązków, jakie z tego tytułu powinno spełniać w postaci codziennej darmowej pracy zwanej pańszczyzną w dobrach swoich „panów", a nawet „właścicieli", jakimi stali się „szlachetni", dla których stanowili oni jedynie część trzody i wyposażenia. Przywilejem „właścicieli" stały się, co naturalne, szerokie uprawnienia względem „trzody", czyli krnąbrnych i leniwych poddanych, włącznie z wymierzaniem kar cielesnych, tortur i kary śmierci, a także sprzedaży ich innym posiadaczom lub wymiany na potrzebniejsze egzemplarze. W swej ciemnocie chamstwo nie wykazywało nadmiernego zrozumienia dla pracy na rzecz „szlachetnych". Pracowało niechętnie, leniwie i niedbale, nawet w świętych dobrach biskupów, proboszczów, klasztorów i zakonów, a bywało, że opętane szatańskimi podszeptami, nie ograniczało się do gróźb i miotania przekleństw pod adresem swych dobroczyńców, lecz w swym zuchwalstwie wzniecało pożary pańskich posiadłości, kradło i rabowało, łamiąc jedno z przykazań wbijanych do tępych głów na ambonach – a nawet uciekało do miast, do innych, odległych szlachetnych posiadaczy, lub jeszcze dalej, w kierunku wschodzącego słońca, na jakieś – jak wieść niosła – Dzikie Pola.

Takie rozpasanie i lekceważenie obowiązków musiało podciąć podstawową gałąź gospodarki, jaką stanowiło rolnictwo. Źle zaczęło się dziać w kraju Sarmatów i – podobnie jak wokół wieży Babel, chociaż z innych przyczyn – narastały konflikty, wzajemne oskarżenia i próby buntów pospólstwa. Oparta na rolnictwie gospodarka słabła coraz bardziej, nie mogąc wyżywić ludności ani zapewnić utrzymania wojska, następowało rozprzężenie obyczajowe z równoczesnym rozwojem prostackiej religijności, zwłaszcza w obliczu licznych klęsk żywiołowych, głodu, epidemii chorób zakaźnych zbierających obfite żniwo w postaci wyludnienia całych okolic – czemu przeciwdziałać miały pielgrzymki pątników, kult świętych figur i obrazów, modły do duchowych opiekunów w niebie. Umacniały tę religijność wieści o cudownych wydarzeniach, uzdrowieniach, zwycięstwach z udziałem boskich osób i świętych pańskich, ukazujących się, a nawet unoszących się w powietrzu i zagrzewających chrześcijańskie zastępy do walki z nikczemnymi, heretyckimi siłami zła, które to wieści roznosili wędrowni bajarze, żebracy i włóczędzy, a i duchowi pasterze podawali zahukanym owieczkom. Równocześnie, jakby na przekór, tworzył się i umacniał – na wzór biblijny – mit Narodu Wybranego, którego Sarmaci byli głównymi twórcami i reprezentantami, a wyrażali go przekonaniem o narodowym posłannictwie, szlacheckiej wolności, wrogością do cudzoziemców i ich często heretyckich religii, buńczucznymi zachowaniami, strojami, architekturą i dziełami sztuki mającymi wyrażać narodową dumę i wyższość nad innymi nacjami.

Nie da się ukryć, że nasi sarmaccy przodkowie i wielokrotnie liczniejszy motłoch zwany „poddanymi" popełniali pewne drobne błędy, które można im wybaczyć i które byłyby bez znaczenia, gdyby nie źli, zawistni sąsiedzi: ci zaczęli ich kraj, bez żadnego szacunku wobec Narodu Wybranego, rozszarpywać jak kruki i sępy. To ich knowania w głównej mierze spowodowały, że potężne ongiś państwo zaczęło się chylić ku upadkowi i – jak wieża Babel – stopniowo popadało w ruinę. A wraz z nim odeszło w zapomnienie plemię Sarmatów, wielce zasłużone, skoro znalazło swe skromne – bo bezimienne – miejsce na kartach Pisma. Albowiem wszystko ma swój początek i koniec – ważne jednak, aby przestrzeń między nimi została wypełniona pożytecznymi dokonaniami, co też się stało.

A uwzględniając wszystkie okoliczności – możemy przyjąć, że wieża Babel jest dziełem naszych dalekich przodków. Pozostaje bez znaczenia fakt, że owa budowa zakończyła się katastrofą, gdyż stało się tak pod działaniem nieprzychylnych nam sił zewnętrznych, i potwierdza tylko nieustanną martyrologię naszego narodu, za którym stoją jednak głębokie racje moralne i tym samym moralne zwycięstwa. Tej chwały, jaką jest budowa wieży Babel, nikt nam nie odbierze.

Przypadki mężów biblijnych

Spisane i opisane na kartach Starego i Nowego Testamentu, w księgach tu wymienionych:
- Księga Rodzaju (Rdz)
- Księga Wyjścia (Wj)
- Księga Kapłańska (Kpł)
- Księga Liczb (Lb)
- Księga Powtórzonego Prawa (Pwt)
- Księga Jozuego (Joz)
- Księga Sędziów (Sdz)
- 1 Księga Samuela (1 Sm)
- 2 Księga Samuela (2 Sm)
- 1 Księga Królewska (1 Krl)
- 2 Księga Królewska (2 Krl)
- 1 Księga Kronik (1 Krn)
- 2 Księga Kronik (2 Krn)
- Księga Tobiasza (Tb)
- Księga Judyty (Jdt)
- Księga Estery (Est)
- 2 Księga Machabejska (2 Mch)
- Księga Hioba (Hi)
- Księga Izajasza (Iz)
- Księga Jeremiasza (Jr)
- Księga Daniela (Dn)
- Księga Jonasza (Jon)
- Księga Micheasza (Mi)
- Ewangelia wg św. Mateusza (Mt)

Udział biorą:
- Daniel – tłumacz snów, pogromca lwów i wężów
- Dawid – miotacz kamieni i król
- Hiob – nieszczęsna ofiara zmagań między Panem a szatanem
- Jefte – bojownik dzielny, lecz mało roztropny
- Jonasz – ichtiolog amator

- Jozue – zdobywca fortecy, hamulcowy słońca
- Józef – tłumacz snów, zarządca Egiptu
- Krulas, Mendras, Bajduras – trzej wędrowcy o nie-
  określonej tożsamości
- Samson – mocarz z tajemniczą słabością

— SIADAJCIE do stołów – powiedział Józef – barany kręcą się jeszcze na rożnie, ale niewolnice zaraz przyniosą coś do wypicia...

Zaklaskał w dłonie.

– Przynieście tu dzbany z winem, piwem i sokami! – polecił. – A także orzeszki, rodzynki, pomarańcze, granaty, ananasy, winogrona i inne... Wszystko z własnych upraw, ekologiczne... – zwrócił się do gości.

Wnet pojawiły się większe i mniejsze gliniane talerze, dzbany i kubki. Goście nie ociągali się z opróżnianiem zawartości naczyń i po chwili dał się słyszeć miły plusk rozlewanych płynów, delikatny jak górski strumyk, a potem niezbyt wykwintne siorbania, mlaskania i pomruki zadowolenia, przerywane chrupaniem orzechów, daktyli, pieczonej szarańczy, a także smakowaniem ananasów, bananów, pomarańczy i winogron. I był przyjemny, niemal bezwietrzny wieczór, z zapachem traw pobliskich łąk i zakwitających akacji, z oczekiwaniem na zapalenie pierwszych gwiazd na firmamencie niebios.

Józef obracał owieczkę na rożnie.

– Mógłby to robić niewolnik – powiedział wyjaśniająco – ale dlaczego miałby wchłaniać ten zapach złocistej skórki, który tak lubię? On jest tylko dla nas... Te jelonki, gazele, koziołki, antylopy, cielęta, te kurki, króliki, owieczki i inne... pieczone, gotowane... Sama rozkosz! Pan dał nam to wszystko, a on wie, co jest dla nas dobre.

– Dlatego skierował swe oko nawet na budowę anatomiczną zwierząt – dodał Hiob – i zakazał nam spożywania takich, które nie mają rozdzielonego kopyta albo nie przeżuwają, jak wielbłądy, góralki, zające, wieprze (Kpł 11, 4–7).

– A z tych, które pluskają się w wodzie – powiedział Daniel – takich, które nie mają płetw ani łusek (Kpł 11, 10), więc różne morskie i rzeczne potwory mogą pływać spokojnie, ale ryby – nie.

– Nie zjem żadnej ryby – oświadczył Jonasz – jakoś przestały mi smakować... Myślę, że wolałbym nawet te ptaszyska, które według klasyfikacji Pana należą do grupy nieczystych, jak orzeł, sowa, czapla, ibis – chociaż jest to ptak ponury – łabędź, bocian czy nietoperz... (Kpł 11, 13–19).

– Skrzydełko nietoperza... mniam, mniam – zaśmiał się Samson. – A te małe wściekłe, co to buczą, gryzą, latają i denerwują?

– Jeszcze nie jadłem... W tych latających jestem słaby. Ale z tych, co łażą po ziemi, wolno zjadać tylko te, których tylne kończyny wystają ponad przednie nogi, czyli skaczące, jak wszystkie gatunki szarańczy (Kpł 11, 21–22) albo pasikoniki. Więc jeśli chcesz przegryźć coś z tych buczących i innych, których nie znasz, jakiegoś chrabąszcza, muchę, osę, żuka, karalucha, turkucia podjadka, chrząszcza czy motylka – sprawdź dokładnie jego nogi, bo może to być niedozwolona obrzydliwość.

– Tak samo wszystko to, co pełza na brzuchu, ma cztery nogi lub wiele nóg: kret, mysz, jaszczurka, gekon, żółw, salamandra, skolopendra, kameleon (Kpł 11, 29–30), a węże, glisty, stonogi, gąsienice, też by się na listę załapały – znów wykazał się wiedzą Hiob.

– Dlaczego nie wolno kameleona? – zapytał Jefte. – Bardzo ładne są kameleony, o wiele ładniejsze od pająków... no i nie łażą po ziemi, tylko po gałęziach, jak małpy.

– Albo żółwia? – chciał wiedzieć Samson. – Podobno są smaczne. Nie jadłem, ale mówił mi o tym jeden heretyk, który się nimi zażerał...

– Pan ma z pewnością swoje naukowe i biologiczne powody – zapewnił Jozue. – A poza tym nie należy spożywać żadnej padliny, trzeba ją dać przybyszowi albo sprzedać obcemu (Pwt 14, 21), chociaż nie wiem, jak to zrobić, skoro nie wolno jej dotykać (Kpł 11, 8)... Mam nadzieję, że nie jesteśmy tu przybyszami ani obcymi...

– Dobrze, że jest to odgórnie zakazane, chociaż kto jadłby padlinę? Ugościć nią przybysza, wędrowca, pielgrzyma, bardzo chętnie. Albo sprzedać na targu – jak najbardziej. Ale zjadać samemu? No, chyba że na pustyni... – powiedział Daniel.

– Ooo, na pustyni... – włączył się Jonasz. – Nasz lud stale szemrał w czasie wędrówki przez pustynię na różne braki w zaopatrzeniu.

– Lud lubi narzekać, to jego specjalność. Jest w tym dobry – stwierdził Józef.

– Ale nie bez powodu – zaoponował Daniel – skoro już piętnastego dnia drugiego miesiąca od wyjścia z Egiptu na pustyni Sin Izraelici zaczęli wołać, że lepiej było im umrzeć z ręki Pana w ziemi egipskiej, gdzie mieli mięsa i chleba do syta, niż tutaj umrzeć z głodu (Wj 16, 3).

– Albo gdy rozbili obóz w Redifim – potwierdził Hiob. – Zamęczali wtedy Mojżesza pytaniami, czy po to wyprowadził ich z Egiptu, aby oni sami, dzieci i bydło umierali tu z pragnienia (Wj 17, 3).

– Gdy już osiedli w Ziemi Obiecanej – błysnął wiedzą Jozue – zdarzyło się, że Pan nakazał prorokowi Eliaszowi zamieszkanie przy potoku Kerit. Tam, według polecenia Pana, kruki przynosiły mu codziennie rano chleb, a wieczorem mięso, wodę zaś pił z potoku. Dzięki temu przetrwał czas wielkiej suszy i głodu (1 Krl 17, 2-7).

– Kruki mogły wyżywić jednego proroka – rzekł Józef – nawet odejmując sobie od dzioba, bo to nadzwyczaj mądre ptaki są i rozkaz Pana był dla nich święty, ale ile kruków potrzeba do wyżywienia tej gromady wędrowców, których wzrok od początku do końca nie obejmie? A potok na pustyni? Tu nawet Nil byłby pochłonięty przez piaski!

– Toteż Pan – oświadczył Jozue – wkroczył wtedy skutecznie z zasłużoną już laską, nakazując Mojżeszowi, aby uderzył nią w skałę, a wypłynie z niej woda. I tak się stało (Wj 17, 5-6). To była ta sama laska, która dobrze sprawdziła się już wcześniej w zmaganiach z faraonem, kiedy to rzucona przed nim, zamieniła się w węża, a potem przez uderzenie w wody Nilu zmieniła ją w krew (Wj 7, 10; 20). No i rozdzielenie wód Morza Czerwonego w czasie ucieczki przed rydwanami faraona i zamknięcie ich później, co skończyło się zbiorowym bulgotaniem koni i jeźdźców na dnie morza... (Wj 14, 21; 27-28).

– Niezwykłe mogą być i do niezwykłych rzeczy mogą służyć laski... – ocenił Józef. – Gdy Pan zapragnął wybrać pokolenie Lewiego do kapłaństwa, to z dwunastu lasek wszystkich pokoleń wybrał tę z imieniem Aarona z tego pokolenia. I ta właśnie laska wypuściła pączki, zakwitła i wydała dojrzałe migdały (Lb 17, 21-23).

– To piękna rzecz, taka laska kwitnąca niby kolorowy krzew... – zachwycił się Jefte. – Ale w czasie wędrówki, gdy nasz umiłowany lud przybył do Tabeery, znów zaczął gardłować przeciwko Panu i oglądając wokół morze sypkiego piasku, pieścił się wspomnieniami mięsa, ryb, ogórków, melonów, cebuli, pory i czosnku... A one tu nie chciały wyrosnąć (Lb 11, 5).

– Głodowali i narzekali – powiedział Daniel – a przecież mieli zwierzęta. Co się z nimi stało?

– Jakie zwierzęta? – spytał Samson.

– A jak wyglądają zwierzęta? Cztery nogi, ogon i rogi. Powiedziano, że przed wyjściem z Egiptu Izraelici zabrali większe i drobne bydło (Wj 12, 38). Mięso szło razem z nimi, a oni się szarpali z Mojżeszem o jego brak! (Wj 16, 2–3) Może Jozue to wyjaśni, był tam przecież i widział wszystko!

– No… jakoś słabo to pamiętam… – powiedział Jozue z ociąganiem. – Nad Morzem Czerwonym było zamieszanie, bałagan, wrzaski, że gonią nas żołdacy faraona, a wiatr, a raczej huragan zesłany przez Pana, wył i zawodził jak potępieniec, huczały wody morza… A kiedy morze się zamknęło i zatopiło rydwany faraona, a my znaleźliśmy się na drugim brzegu, to czworonogów nie zauważyłem. Może w tym pośpiechu nie nadążyły za nami i potonęły?

– Krowy czy owce to nie mrówki, żeby ich nie dojrzeć albo je zadeptać… Jeśli zatonęły, to potem widocznie ożyły, bo kiedy w Tabeerze wędrowcy zażądali mięsa od Mojżesza, niby zaopatrzeniowca (Lb 11, 4; 13), to prorok w rozmowie z Panem zapewniał, że nawet zabicie wołów i owiec nie nasyciłoby wszystkich głodomorów (Lb 11, 23). Jakieś to zagmatwane… Więc potonęły czy nie? Gdybym ja prowadził zwierza i przymierał głodem, to ubiłbym go i zjadł, a nie biadolił, a tu jęki, płacz i narzekanie… – skwitował Daniel.

– Potonęły… To wcale nie dziwne, bo skąd taki czworonóg mógł wiedzieć, że przed pościgiem faraona trzeba uchodzić jak najspieszniej? I szedł sobie spokojnie jak na pastwisko… Izraelici nie mogli czekać na maruderów, bo pogoń była tuż-tuż, i gnali na oślep. Pozbyli się goniących, ale narzekać nie przestali – ocenił Hiob.

– Tak to bywa… od narzekań, od codziennych utarczek do otwartego buntu. Pojawili się wreszcie prawdziwi buntownicy, Korach, Datan i Abiram, wraz z dwustu pięćdziesięcioma innymi, którzy chcieli podważyć przywództwo Mojżesza, oskarżając go, że nie tylko wyprowadził ich z kraju opływającego w mleko i miód do zguby na pustyni, ale i usiłuje sprawować despotyczne rządy nad ludem (Lb 16, 13) – zabrał głos Dawid. – Ale źle to się dla nich skończyło. Pan nie mógł tolerować takiej rebelii, otworzył więc pod nimi paszczę ziemi i wpadli w nią wraz z rodzinami i dobytkiem (Lb 16, 32). To rzadki przypadek, bo buntowników zwykle wiesza się lub ścina.

– Zwierzęta są gotowe do zjedzenia! – zawołał Józef. – Tutaj akurat są czteronożne, z racicami jak należy, bez skrzydeł, nieczołgające się po ziemi, niebuczące, za to beczące, dopóki nie zawisną na kiju… Niewolnice!

Wbiegły trzy, w krótkich tunikach ponad kolanami i mało zakrytą górną częścią. Bez słowa zaczęły kroić upieczone owieczki, kłaść na gliniane misy, nalewać wina do kufli i ustawiać wszystko na stole.

– Niezłe, całkiem niezłe… – odezwał się Samson. – Gdzie je kupiłeś, Józefie?

– Nie musiałem kupować. Wszyscy moi niewolnicy pochodzą z tych, którzy dobrowolnie zostali niewolnikami w zamian za zboże, które im dałem jako zarządca Egiptu, w czasie wielkiego głodu (Rdz 47, 19, 21, 25). Dzięki temu przeżyli, obsiali pola, a że te pola i zwierzęta musieli oddać… to znaczy sprzedać faraonowi… tak się jakoś złożyło.

– Mało kto jest zarządcą Egiptu. Jeśli zwyczajny Abram, Symche, Izaak, Moniek, Pinchas, Natan, czyli zarządca osłów, baranów i wielbłądów potrzebuje niewolnika czy niewolnicy, to musi ich sobie kupić wśród ludów naokoło (Kpł 25, 44).

– Niektórzy, ci mądrzejsi, planują długofalowo. Tacy kupują na własność dzieci przybyszów i osadników, a to jest inwestycja w przyszłość, bo one będą niewolnikami na zawsze (Kpł 25, 44–46).

– Ci mniej ambitni mogą wykorzystać inną sytuację... Jeśli twój brat niedołęga zrujnuje czy zadłuży swoje gospodarstwo i zechce oddać się tobie w jasyr, możesz go zatrudnić jako najemnika czy osadnika, chociaż tylko do końca roku jubileuszowego (Kpł 25, 39–40).

– A jeśli się zdarzy, że twoim niewolnikiem zostanie Hebrajczyk lub Hebrajka, to może nim być tylko przez sześć lat, bo w siódmym roku trzeba ich uwolnić i obdarzyć drobnym bydłem, ziarnem i winem (Kpł 15, 12–14). Ale gdyby im się spodobało niewolnictwo i nie chcieli odejść, to takim szajbusom wolno ci przyłożyć do drzwi ich ucho, przebić je szydłem, i już nie mają odwrotu, będą twoimi niewolnikami na zawsze (Pwt 15, 16–7). To piękny przykład trwałych związków między ludźmi!

– Podobno najgorliwszym ochotnikom na niewolnictwo tak się to podoba, że aby te związki pogłębić, stoją przybici do drzwi przez cały dzień!

– Dobra, dobra pieczeń... – mlasnął któryś z biesiadników. – Młodziutkie pikantne mięsko, z cebulką, czosnkiem... Twoi niewolnicy potrafią to przyrządzić, Józefie!

– Nadzwyczajne – przytaknął inny. – Mam nadzieję, że i większe czworonogi pojawią się na stole, nie mówiąc już o tym, że i ptactwo skrzydlate będzie powitane z szacunkiem, podobnie jak dzbany... co mówię, amfory z winem i piwem!

– Niewolników zaprzęgam do prac w polu, do orki, do zbiorów, do budowy – powiedział Józef – a niewolnice w domach, niektóre zajmują się tylko kuchnią, bo też podniebienie mam wrażliwe i byle czego nie przełknę. Specjalizacja to moja zasada.

– Część artystyczna – zaproponował Samson – też byłaby mile widziana. Czy te twoje niewolnice nie mogłyby wystąpić z jakimś orgiastycznym tańcem brzucha albo zagrać na tamburynach w strojach egzotycznych z liści palmowych, a nawet bez liści, i zaśpiewać coś z repertuaru Papuasów lub Wysp Kokosowych?

– Nie pomyślałem o tym – przyznał Józef. – Ale cóż, niewolnicy muszą się zmagać z gospodarką prymitywną, o niskiej wydajności, i jej poświęcać cały czas. Odkąd prowadzimy osiadły tryb życia, główną troską jest wydajność z hektara i wysokie pogłowie bydła, a szczytem techniki żelazny sierp i dwa połączone kije zwane cepem... Ale taki zespół, czemu nie? Choćby dla dopingu żniwiarzy... Tak. Wybiorę kilka ładniejszych i każę im szarpać druty.

– Potrzebny jeszcze słuch i talent...

– Co to takiego?

– Nie, nic... Dawid mógłby zagrać na cytrze, wiemy, że jest w tym świetny!

– To prawda... – przyznał skromnie Dawid. – Byłem nadwornym cytrzystą albo harfistą króla Saula, a kiedy zły duch napadał na niego, wkręcał mu się w głowę i serce, wtedy grałem królowi na harfie, a ów upiorny opryszek odstępował od niego (1 Sm 16, 23).

– Więc grywałeś na cytrze czy na harfie?

– Skąd mogę wiedzieć? Różnie o tym mówią kronikarze w Piśmie. Ale demon uciekał w pośpiechu, tak czy owak.

– Z demonami nic nie wiadomo, są nieobliczalne... Niby groźne i przebiegłe, ale mają swoje słabości i byle co może je odstraszyć. Jak ten, którego przepędził Tobiasz, za radą anioła Rafała...

– Nie znamy tego przypadku... Opowiadaj!

– Tobiasz pojął za żonę Sarę, ale wiedział, że poprzednich siedmiu jej mężów zabił demon w dniu ślubu

(Tb 6, 14). Rafał odkrył przez swoje służby specjalne, że niektórych zapachów ów demon nie znosi. Takie uczulenie... Polecił więc Tobiaszowi, aby w komnacie małżeńskiej położył serce i wątrobę ryby na rozżarzonych węglach, a demon ucieknie (Tb 6, 17). I tak się stało. Ów wrażliwiec musiał widocznie odbierać ten zapach jako odór i tak został nim oszołomiony, że uciekł aż do Górnego Egiptu, gdzie Rafał dopadł go, związał (Tb 8, 2–3) sznurem sizalowym i jeszcze sprawił mu tęgi łomot. Jeśli nikt go nie rozwiązał, to leży tam do dzisiaj.

– Demony jak ludzie... Ten, który napastował Saula, musiał być niemuzykalny!

– Był to pewnie ten powód – rzekł Dawid – ale ja jestem muzykalny. Chciałem nawet założyć kapelę królewską złożoną z harfistów, flecistów, cymbalistów, bębnistów, dyrdymalistów...

– Co to za jedni?

– Ci, co grają na dyrdymałach zakręconych. Ale nie udało się, bo kiedy ukatrupiłem tego zbója Goliata, król mianował mnie dowódcą swego wojska (1 Sm 18, 5). Więc robiłem wojenne wyprawy ze stosami ubitych wrogów, bo zabijaką byłem równie dobrym jak harfistą... Lecz król zaczął być zazdrosny o moją sławę (1 Sm 18, 8–9). Dał mi więc tylko oddział tysiąca żołnierzy i wysłał na wojnę, mając nadzieję, że padnę gdzieś trupem z rąk Filistynów, chociaż obłudnie obiecał mi rękę swej córki Merab (1 Sm 18, 13, 17). O żeż ty! Tak czy inaczej, moja muzyczna kariera załamała się, a cytra przepadła. Mogę zagrać najwyżej na grzebieniu albo na liściu.

– Są też inne rozrywki...

– Ale co? Sodomy i Gomory już nie spalimy!

– Zawsze jest coś do spalenia... choćby czarownica! Przecież powiedziano, że nie ma ona prawa żyć

(Wj 22, 17). Dwa w jednym: zabawimy się i spełnimy nakaz Pana!

Rozległ się ogólny rechot.

– Tylko skąd tu wziąć czarownicę? Sama się nie zgłosi!

– Zresztą gdyby nawet była, to potrzebne procedury, oskarżyciele, świadkowie, dowody, całe śledztwo…

– Mnie tam żadne procedury nie obchodzą – rzekł Dawid. – Gdy uciekałem ze swymi ludźmi przed Saulem do Filistynów, do Akisza, króla Gat, to stamtąd robiłem wyprawy na sąsiednie plemiona, łupiłem wszystko, co się dało, a przy okazji zabawiałem się tak wesoło, że nikt nie uszedł z życiem… żadna kobieta ani mężczyzna (1 Sm 27, 9). Tak samo zresztą było po zdobyciu na Ammonitach Rabby, którą złupiłem, zburzyłem, a rabbowników zaprzęgłem do żelaznych pił, siekier i kilofów… Chociaż niektórzy rzucają kalumnie, że kazałem włóczyć po nich sanie i wozy, tak że wyglądali potem na połamanych i nieżywych (1 Krn 20, 2–3). Może być, bo kto by tam wszystko spamiętał… Za to pewne jest, że kiedy pobiłem króla Soby i Chamat i zabrałem mu tysiąc rydwanów, to poprzecinałem ścięgna skokowe prawie wszystkim koniom zaprzęgowym (1 Krn 18, 3–4). Ale minęło sporo czasu, więc teraz chętnie bym poturturował, a nawet podpalił stosik… Tylko czarownicy pod ręką brak.

– Nie tylko czarownicy… nawet wróżbity czy wywoływacza duchów nie ma!

– No i co? O nich nie powiedziano, żeby ich jak czarownice… Tylko żeby nie zasięgać od nich rady, aby się przez to nie sponiewierać moralnie (Kpł 19, 31). Więc tu pożytku dla nas żadnego!

– Co znaczy nie zasięgać? W ogóle nie wolno uprawiać wróżb, guseł, czarów, przepowiedni, zaklęć ani zwracać się do zmarłych, obrzydliwe bowiem jest to dla Pana (Pwt 18, 10–12).

– Jest jeszcze gorzej, to grozi przejściem do świata umarłych. Wystarczy, by ktoś się zwrócił do wróżbitów albo tych, co duchy wywołują, a Pan wyłączy go spośród jego ludu (Kpł 20, 6). Przyznajmy, że nasz Pan mówi pięknie i obrazowo, nie tak jak my, jego ziemscy dreptacze, zwyczajnie: umrzesz...

– To prawda... wszak i Aaronowi zapowiedział, że „zostanie przyłączony do swoich przodków" (Lb 20, 24).

– W podobnie pięknym stylu także Mojżeszowi: „zostaniesz przyłączony do twoich przodków" (Lb 31, 2).

– Nie tylko wywoływacze duchów mogą przejść do krainy umarłych. Pan zagroził, że gdyby ktoś z Izraelitów, a nawet przybyszów, którzy się wśród nich osiedlili, spożywał jakąkolwiek krew, będzie wyłączony spośród swego ludu, bo życie ciała jest we krwi (Kpł 17, 10–11), a we krwi jest życie (Pwt 12, 23).

– Również ten, kto chciałby jeść tłuszcz zwierząt ofiarnych, będzie wykluczony spośród swego ludu (Kpł 7, 25).

– Ale Jozjasz, król Judei, który czynił to, co jest słuszne w oczach Pana, też usłyszał piękne słowa: „Oto ja połączę cię z twoimi przodkami i będziesz pochowany spokojnie w swoim grobie" (2 Krl 22, 20). Nasz Pan to znakomity stylista.

– Dobrze... więc może obijemy kijem jakiegoś niewolnika? To nie jest karalne, jeśli przeżyje jeden lub dwa dni (Wj 21, 21), a o niewolnika zawsze łatwiej...

– Obić zawsze można, pod warunkiem że niewolnik jest własnością swego pana, obijacza! (Wj 21, 21) Więc cudzego niewolnika obić nie wolno!

– Do tego nie możesz walić na oślep. Wybijesz takiemu oko albo ząb i musisz zwrócić mu wolność (Wj 21, 26–27). Z powodu takiego głupstwa! Co to za prawo?

– A i tak nie będziemy tu czekać dwa dni, aby zobaczyć, czy obity niewolnik zacznie umierać!

– Może być jeszcze gorzej. Trudno uwierzyć, ale czasem kobieta, ku swemu pohańbieniu, ubierze jakiś męski strój. I co? Nie ma na to żadnego paragrafu, żadnej kary miecza czy ognia ani zakopania żywcem... Staje się tylko obrzydła dla Pana! (Pwt 22, 5)

– A odwrotnie? Mężczyzna ubrany jak kobieta?

– Tak samo jest to obrzydliwość w oczach Pana (Pwt 22, 5). Na szczęście podobnej zuchwałości nikt się jeszcze nie dopuścił!

– Gdyby chociaż wół pobódł kogoś na śmierć, można by takiego wołu ukamienować (Wj 21, 28).

– Tylko brak chętnych, których taki bydlak mógłby wziąć na rogi!

– A niewolnik? Można by, niby przypadkiem, urządzić taki galop wołowatego, że z niewolnika zostałaby tylko rąbanka!

– A kto zapłaciłby jego panu trzydzieści sykli odszkodowania? (Wj 21, 32)

– Gdyby prorok Eliasz był tu z nami, to nawet zmarłego mógłby wskrzesić. Skoro przywrócił życie chłopcu (1 Krl 17, 17; 22), to marnego niewolnika ożywiłby pstryknięciem palców!

– Złodziej... – rozmarzył się Samson. – Gdyby taki złodziej nas okradł, można by go posiekać mieczem albo rozbić mu czerep kamieniem! (Wj 22, 1)

– Ale tylko przed wschodem słońca. Potem możesz być ukarany za nadgorliwość, choćby ręki nie dało się zatrzymać na widok takiego złoczyńcy... A złodzieja, jeśli przeżyje, można najwyżej sprzedać w niewolę, za taką samą sumę, jaką ukradł (Wj 22, 2).

– A jeśli było już po wschodzie słońca, a złodziej nic nie ukradł? Robi się galimatias! Co z nim zrobić? Wypuścić i przeprosić?

– Trzeba by go obić. Za głupotę i fuszerkę...

– Ty, Samsonie, potrafisz się bawić – mówił Daniel. – Słyszałem, że złapałeś kiedyś trzysta lisów, przywiązałeś im pochodnie do ogonów i puściłeś między zboża, stogi i winnice Filistynów... Spaliło się wszystko! (Sdz 15, 4–5)

– Jaka zabawa? To była zemsta na moim teściu za to, że w czasie, gdy byłem nieobecny, oddał moją żonę innemu (Sdz 15, 2). Popamiętał mnie... wszyscy mnie popamiętali!

– Zemstę z zabawą też można połączyć... Kiedy król Judei Amazjasz pobił dziesięć tysięcy Edomitów, a dziesięć tysięcy zabrał ze sobą, wprowadził ich potem na szczyt skały i kazał strącić w dół (2 Krn 25, 11–12). Pewnie spadali jak gruszki otrząsane z drzewa i tak samo się rozbijali. To musiał być widok!

– Niezły – przyznał Jozue. – Kiedy my zdobyliśmy miasto Aj i wycięliśmy mieczem wszystkich, a było ich trochę, bo dwanaście tysięcy mężczyzn, kobiet (Joz 8, 25), pewnie i dzieci sporo tam się nawinęło. No więc wzięliśmy żywcem tylko ich króla. Chcieliśmy go ukamienować, ale zmordowanym po bitwie wojownikom nie chciało się zbierać kamieni, więc postanowiliśmy go powiesić. I co powiecie? W pobliżu nie było ani jednego drzewa! Uśmialiśmy się wtedy, bo król sam obiecał doprowadzić nas do takiego miejsca, dobrze znał okolicę... Więc tam go powiesiliśmy (Joz 8, 29). I był łobuz bardzo zadowolony, bo kamienowania bał się bardziej niż trądu!

– Ale do powieszenia następnych królów już wam drzew nie brakowało? – wtrącił ktoś dowcipnie.

– Nie brakowało. To było po bitwie pod Gibeonem, gdzie tak rozgromiliśmy Amorytów, że uciekali jak zające (Joz 10, 10), a wtedy Pan osobiście ciskał na nich ogromne kamienie na zboczu góry, przez co więcej ich zginęło niż od naszych mieczy (Joz 8, 11), co przyznaję samokrytycznie... A pięciu królików, którzy tchórzliwie ukryli się w jaskini, złapaliśmy (Joz 10, 22–23) i kazałem powiesić ich na pięciu drzewach (Joz 10, 26). Ale dostaliśmy takiego rozpędu, że jeszcze tego samego dnia i następnego zdobyliśmy sześć czy siedem miast, trudno zliczyć. A że wycięliśmy mieczem wszystko, co nie zdążyło uciec (Joz 10, 28–39), nie warto nawet wspominać, bo to podstawowy obowiązek i przywilej...

– Legendy krążą wśród prostego ludu na wschodzie i na zachodzie o twoim zatrzymaniu słońca i księżyca... Jak tego dokonałeś?

– To było po tej bitwie pod Gibeonem. Wcale nie wiedziałem, że mam taką nadzwyczajną moc. Owszem – spalić miasto, wyciąć tubylców albo zakuć w kajdany, powiesić paru buntowników, zrabować bydło, owce, wielbłądy, złupić, rozgromić, spustoszyć, proszę bardzo... Ale zatrzymać coś na niebie? Wcale nie miałem takiego zamiaru, chciałem tylko wezwać słońce i księżyc na świadków moich militarnych sukcesów i triumfu nad Amorytami. A że jakoś tak wyszło (Joz 10, 12–13), sam nie wiem, jak to się stało. Może to tylko złudzenie optyczne, ja tam się nie upieram.

– Ja też nie, ale ludzie swoje wiedzą i są pewni, że to wszystko było naprawdę.

– Jestem z ludźmi...

– Oni nawet o twoim sukcesie na niebie układają ballady, a koczownicy, wędrowni pasterze, włóczędzy, śpiewają je i roznoszą... Posłuchaj tylko:

Z pomocą Pana pobiłem zgraję Amorytów,
Ale skromności mojej za mało to zaszczytów,
Przeto zaklinam cię, na niebie, hen, słoneczny dysku,
Zatrzymaj bieg swój i świeć pięknemu widowisku,
Bym wrogów szatkowanie prowadzić mógł do końca...
Po zmierzchu zaś przyjemność nie ta – więcej słońca!

– Kiedy takie rzeczy idą w lud – oświadczył Jozue – to już jest historia. Właściwie powinienem się rozpłakać... – A w czasie zwyczajowej bijatyki z Filistynami, którą odbywaliśmy każdego roku – powiedział Dawid – wystąpiłem do walki z Goliatem za zgodą króla Saula (1 Sm 17, 37) jak gladiator na arenie... Ale to Goliat był gladiatorem, który szukał głupiego do walki z nim (1 Sm 17, 8-10), a ja tylko Guliwerem w krainie olbrzymów, z góry skazanym na pożarcie. Stało się inaczej... Ten Goliat to był chłop jak góra, pięść miał jak bochen i mógłby nią rozbić orzech kokosowy, a co dopiero mój łeb. Do tego ubrał zbroję, w której błyszczał jak tafla jeziora w słońcu, a w łapie trzymał miecz! No, ale wtedy moja głupota dorównywała odwadze, do tego stopnia, że najpierw zacząłem z nim tradycyjną pyskówkę...

Podejdź tu, ty góro mięsa, szczurze, kojocie,
Pokrako, świński ryju, pokaż swą mordę tępą!
Wnet wypruję ci flaki, łeb obetnę i powieszę na płocie
A twą padlinę rzucę szakalom, hienom i sępom!

Rozzłoszczony Goliat ryknął wtedy tak wściekle, jakby gotów był zaraz spalić mnie ogniem z paszczy jak smok. Nie było na co czekać – chwyciłem więc procę, parę kamieni i trafiłem tę górę na dwóch nogach między oczy (1 Sm 17, 49). To nie miało prawa się udać, ale

Pan był ze mną i kierował moją ręką. Olbrzym padł jak rażony gromem, a potem to już była sama przyjemność. Mieczem tego odrażającego draba odciąłem mu głowę i zaniosłem do Jerozolimy jako trofeum (1 Sm 17, 51; 54), a Filistyni uciekli. To były czasy!

– Ja się nie znam – powiedział ostrożnie Hiob – ale względem tego, co mówił Daniel, Jozue, Dawid, przewidziano w prawie, że kto zabije człowieka, będzie ukarany śmiercią! (Kpł 24, 21)

– Jakiego człowieka! Jeniec czy niewolnik nie jest człowiekiem. A o jeńcach w Piśmie nie powiedziano ani słowa, nic ich nie chroni, jesteśmy usprawiedliwieni. Znaczy – wszyscy mogą nam nagwizdać!

– A Symeon i Lewi – ci od Jakuba – którzy podstępnie wymordowali mieszkańców Sychem? Ci ludzie nie byli ani jeńcami, ani niewolnikami! (Rdz 34, 25)

– Musieli pomścić siostrę, którą syn władcy tego miasta zbezcześcił (Rdz 34, 2). Zaprawdę słuszne to było i sprawiedliwe, bo chociaż potem Jakub obawiał się odwetu (Rdz 34, 30), to Pan trzymał się dyskretnie z dala od całej awantury, więc milcząco dawał swój placet... No i jaka odwaga tych zuchów: w sile dwóch mieczników na całe miasto!

– A czy to miasto miało więcej niż cztery domy?

– Ho, ho, ho! Było trzy karczmy, bram cztery ułomki, klasztorów dziewięć i gdzieniegdzie domki, jak zapisał pewien kronikarz czy psalmista.

– To musiał być jakiś odległy kraj. Nie u nas.

– Różne i dziwne rzeczy się zdarzają, u nas także – powiedział Józef – na przykład dokonania moje i Daniela. Zastanawiam się, jak to możliwe, że są one tak podobne. Pomijam już, że ja miałem piękną postać i miłą powierzchowność (Rdz 39, 6), a on piękny wygląd bez żadnej skazy (Dn 1, 4) – ale reszta?

– O co ci chodzi, dostojny – z uwagi na wiek i stanowisko – Józefie?

– O te podobieństwa właśnie. Dzieli nas cała epoka
czasowa, a także obszar działania. Choć obaj jesteśmy
z rodu Izraelitów, to ja pełniłem swoje funkcje w Egipcie,
a ty na dworze królów babilońskich. Mimo to obaj za-
słynęliśmy jako wybitni znawcy i tłumacze snów, dzięki
temu zrobiliśmy kariery polityczne. Podobno nawet ty,
wraz ze swoimi trzema rodakami zabranymi przez króla
Nabukan... Nabuchtazaura... tfu! – co za imię! – byłeś
pięciokrotnie lepszy w rozeznawaniu wszelkich widzeń
i snów niż wszyscy wróżbici w całym królestwie!

– Kto tak powiedział? – zapytał Daniel. – Muszę
to uściślić. Byliśmy dokładnie dziesięciokrotnie lepsi!
(Dn 1, 20)

– Dziesięciokrotnie... tylko pozazdrościć – westchnął
Józef. – Ja też byłem w tym dobry, że przypomnę tylko
słynny sen faraona o siedmiu krowach i siedmiu kłosach. Dzięki jego objaśnieniu awansowałem aż na fotel
zarządcy Egiptu (Rdz 41, 26–30; 41), ale moich przewag
nikt tak ściśle nie policzył.

– Poza tym – mówił Daniel – coś nas jednak różni. Ja
byłem prześladowany politycznie, bo kiedy król Dariusz
chciał mnie uczynić ważną figurą, zwierzchnikiem stu
dwudziestu satrapów – z uwagi na mojego niezwykłego
ducha, ma się rozumieć (Dn 6, 2–4) – to ci szubrawcy,
nie mając na mnie żadnego haka, oskarżyli mnie, że
modlę się trzy razy dziennie do mego Boga (Dn 6, 14),
a wcześniej ci sami nakłonili podstępnie króla do wydania dekretu grożącego wrzuceniem do jaskini lwów
każdego, kto modliłby się do innego boga poza królem!
(Dn 6, 8) No i mnie wrzucili (Dn 6, 17), bo przecież nie
wyparłbym się Pana z powodu pięciu czy dziesięciu
głupich lwich paszczy!

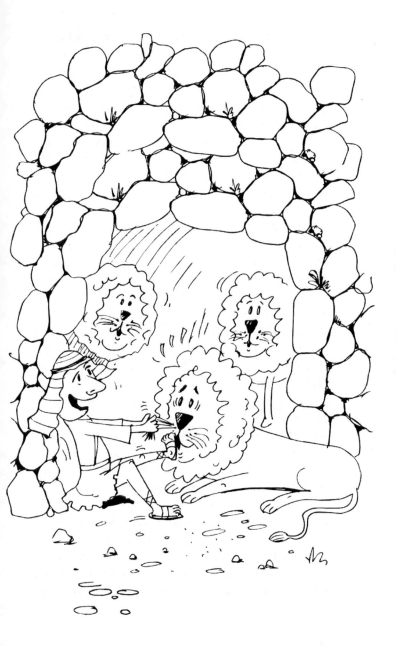

– Jednak lwy cię nie ruszyły?

– „Mój Bóg posłał swego anioła i on zamknął paszcze lwom, nie wyrządziły mi one krzywdy" (Dn 6, 23). Oczywiście nasz Bóg, chciałem powiedzieć. A oskarżycieli, wraz z żonami i dziećmi, na rozkaz króla wrzucono do tej samej jaskini (Dn 6, 25). Tym razem lwy miały ucztę, jeszcze teraz słyszę trzask gruchotanych kości! A i później miałem podobny przypadek za panowania króla Cyrusa. Też zostałem wrzucony do jaskini lwów, bo nie chciałem oddawać czci wężowi, którego wszyscy uważali za boga (Dn 14, 23–25), i którego tak nafaszerowałem plackami ze smoły i łoju, że pękł (Dn 14, 27). Ale rozzłoszczone Babiloniaki zażądały od króla, aby mnie im wydał, i kopniakami zapędziły do jamy, gdzie powitało mnie siedem zębatych paszczy… A już wcześniej podpadłem ciężko tym wielbicielom węża, bo odkryłem machinacje kapłanów zjadających w świątyni to, co według nich miał spożywać bożek Bel. Ale mnie nie przechytrzyli, bo zostawili swoje ślady w popiele, który rozsypałem na podłodze (Dn 14, 13–15). Więc gdy król Cyrus zobaczył ślady ich butów, kazał pozabijać oszustów (Dn 14, 20–22). Za to znienawidzili mnie wszyscy… I tak znalazłem się wśród siedmiu lwów, które codziennie dostawały do zjedzenia dwie owce i dwóch ludzi (Dn 14, 31–32), chociaż nie wiem, czy niewolników, czy ochotników.

– I znowu Anioł Pański cię ocalił?

– Tak. Kazał prorokowi Habakukowi w Judei zanieść mi pożywienie (Dn 14, 33–34), a nawet więcej – chwycił go za włosy i przeniósł aż do jaskini lwów (Dn 14, 36, 39). Byłem najedzony, a siódmego dnia przyszedł król i zobaczył mnie żywego, i pojął, który Bóg jest prawdziwy, i kazał mnie uwolnić, i wrzucić do jamy tych, którzy mnie tam zapakowali, i tych lwy natychmiast pożarły (Dn 14, 40–42).

– Nie wiedziałem, że lwy żyją w jaskiniach... ale ja się nie znam – powiedział Józef. – Muszę ci jednak przypomnieć, że i mnie jeden Putyfar posłał w kazamaty... wprawdzie nie za politykę, lecz przez rozpustną żonę. Oskarżyła mnie o napaść na jej niewinność (Rdz 39, 13 14), chociaż to ja uciekłem od niej, co prawda w stroju mocno niekompletnym (Rdz 39, 8, 12), bo nie chciałem nadużyć zaufania mego pana Putyfara, który oddał mi zarządzanie swoim domem i majątkiem (Rdz 39, 8), a to nie byle co!

– Trzymajcie mnie! – zawołał Samson, znany miłośnik kobiet. – Uciekać od kobiety, na golasa, tylko dlatego żeby nie oszukać jej chłopa, który i tak o niczym by się nie dowiedział! Słusznie cię oskarżyła Putyfarowa, której imienia nawet nie znasz, Józefie, i słusznie wrzucili cię do lochu. Powinni cię w nim trzymać dłużej, niż się buduje piramidę!

– Jesteś tępakiem, Samsonie – skwitował z kwaśnym uśmiechem Józef. – Służba i dyplomacja to nie to samo co walenie cepem. Co sam zrobiłeś? Ta twoja Dalila trzy razy zdradziła Filistynom powód twojej ogromnej siły, który jej podałeś – a który na szczęście był fałszywy (Sdz 16, 7, 11, 13). Niczego cię to nie nauczyło i wyśpiewałeś jej w końcu prawdę o swoich włosach (Sdz 16, 17), no i poszedłeś jak baran na rzeź... Wystarczyło ci ostrzyc ten kudłaty łeb, a przestałeś być osiłkiem i byle pastuch mógłby cię obić i naurągać od najgorszych. Sam wiesz najlepiej, jak to się skończyło!

– Może mnie trochę przyćmiło... Ale z drugiej strony, czy ty widziałeś Dalilę? Sam zdradziłbyś jej nawet swojego faraona wraz ze świętym skarabeuszem. Nawet

Archimedes by wyskoczył ze swojej wanny, a Pitagoraso-
wi by się trójkąty z kwadratami poplątały na jej widok!

– Kiedy płynąłem do Niniwy, na polecenie Pana –
wtrącił Jonasz – w czasie burzy marynarze wrzucili
mnie do morza, aby je uspokoić, na moją prośbę zresztą,
bo jestem znany z ofiarności (Jon 1, 12). Wszyscy byli
zarośnięci jak małpy, a grzywy mieli jak lwy, ale żaden
nie miał nadludzkiej siły. Skąd niby twoja czupryna
miałaby dawać taką krzepę? I skąd o tym wiedziałeś,
kto ci powiedział?

– Nic nie wiem – odrzekł Samson – tak już jest i koniec, w takiej epoce żyjemy. Czy ten grecki Anteusz nie
miał olbrzymiej siły, dopóki dotykał ziemi, a w powietrzu był słaby jak zwiędły badyl? Kiedy ty byłeś przez
trzy dni lokatorem tego potwora, który cię połknął, to
cię nie dziwiło? A tu nie chcesz uwierzyć w siłę moich
włosów! I nie mów mi, że płynąłeś służbowo do Niniwy,
bo tak naprawdę chciałeś uciec przed Panem, żeby nie
wykonać jego polecenia. Dlatego zesłał on tę burzę!
(Jon 1, 3)

– Nie dziwię się Samsonowi – powiedział Dawid. –
Gdy ja ujrzałem Batszebę w czasie kąpieli w ogrodzie,
tak mnie rozpaliła, że zaraz zaproponowałem jej przez
posłańców spotkanie (2 Sm 11, 2, 4) na mojej pościeli,
zapewniając, że jest ona najwyższej jakości, tkana przez
perskich specjalistów. Była żoną Uriasza wojownika
(2 Sm 11, 3), więc pewnie dlatego opierała się tak długo,
że mój sługa nie zdążył mnie namaścić pachnidłami.
Ale wykazała pełne zrozumienie dla jego niedołęstwa.
I już następnego dnia zawiadomiła mnie: będziemy
mieli małego Dawidka! (2 Sm 11, 5) Więc wysłałem do
Joaba, który walczył z Ammonitami, posłańca z listem,
aby postawić Uriasza w najbardziej niebezpiecznym
miejscu, gdzie miałby śmierć godną, ale pewną. Tak się

złożyło, że tym posłańcem był Uriasz (2 Sm 11, 14–15). I tak się stało, że odszedł od nas Uriasz po strzale z łuku z murów obronnych (2 Sm 11, 17, 24), a Batszeba opłakiwała go cały wieczór... (2 Sm 11, 26).

Hiob nachylił się do Jonasza.

– Wiesz, co mówi Księga Prawa? – zapytał cicho. – Że jeśli znajdzie się człowieka śpiącego z kobietą zamężną, oboje umrą: mężczyzna i kobieta (Kpł 20, 10; Pwt 22, 22).

– Oczywiście, że wiem o tym, hi, hi, hi... Ale o królach nie ma tam mowy...

– Co tam za szeptanki? – zapytał czujnie Dawid.

– Nie, nic takiego... Dziwimy się tylko, dlaczego Pan zesłał na Izrael zarazę, od której umarło siedemdziesiąt tysięcy ludzi (2 Sm 24, 15) jako karę za to, że zarządziłeś policzenie całego narodu (2 Sm 24, 2), skoro to on nakazał, abyś to uczynił (2 Sm 24, 1).

– Niezbadane i kręte są ścieżki Pańskie... Podobno jednak to szatan wcisnął tu swoje paluchy (1 Krn 21, 1), a Pan w swej łaskawości dał mi do wyboru różne rodzaje kary: trzy lata głodu, trzy miesiące porażek z rąk wrogów albo trzy dni miecza Pańskiego i zarazy w kraju (1 Krn 21, 11–12). Wybrałem trzeci wariant. I pomór zabił te tysiące. Ale Pan przez proroka Natana oznajmił, że nie spodobało mu się... ten, tego... to, co z Batszebą i Uriaszem... Toteż umarł mój synek, którego urodziła Batszeba (2 Sm 12, 15; 18). Ale wkrótce potem oznajmiła mi: będziemy mieli małego Salomonka! Małego Salomonka! I tak się stało (2 Sm 12, 24). Nie wspominała już Uriasza. Tak, tak... Zdobywanie miasta jest niebezpieczne. Różne rzeczy się zdarzają... Można zginąć.

– Zależy, jak się zdobywa – oświadczył Jozue. – Nasze oblężenie Jerycha, a było to miasto silnie umocnione, powinno wejść do podręcznika sztuki oblężniczej. My, wszyscy zbrojni, mieliśmy według wskazówek Pana

okrążać je codziennie jeden raz (Joz 6, 3). I tak robiliśmy. A gdy chodziliśmy powoli i dostojnie wokół Jerycha, trąbiąc na rogach, to ci z murów ciskali w nas różnymi obrzydlistwami i wrzeszczeli: „Wy paralitycy, wy woły ryczące, popaprańcy, krążowniki na dwóch łapach, dźwigacze skrzyni umrzyków – bo tak obelżywie nazywali naszą arkę, którą nieśliśmy – podejdź no tu który, psi synu, a odejdziesz bez głowy!". Za murami czuli się bezpiecznie... Ale my nic. Pomni wskazówek Pana (Joz 6, 8) – trąby, hejnał, arka, zbrojni, kapłani grają, chóry śpiewają – tup, tup, dookoła, bez pośpiechu, lewa, prawa, tup, tup, wasze mury – wasz grób, lewa, prawa, tup, tup... Jerychonów skręca złość, pusty śmiech i trwoga, bo nas nie wyczuwają. A my – lewa, prawa, tup, tup, okrążamy ich fizycznie i psychicznie, tup, tup...

– Już okrążyliście. Co dalej?

– I tak przez sześć dni. A siódmego dnia był już inny plan strategiczny. Mieliśmy okrążyć Jerycho siedmiokrotnie, według wcześniejszego harmonogramu ustalonego przez Pana (Joz 6, 4). I tak uczyniliśmy wszyscy, z wyjątkiem naszego rachmistrza, który pozostał w obozie, aby liczyć okrążenia celem uniknięcia pomyłki. Krążyliśmy, zmobilizowani ideowo, ryczały trąby, łopotały sztandary na wietrze, a ci z Jerycha patrzyli w osłupieniu na zbiorową turystykę o zorzy porannej. Trwało odliczanie: jeden, dwa, trzy... pięć... siedem! Zawołałem: „Wznieście okrzyk wojenny, albowiem Pan wydaje wam miasto!" (Joz 6, 16). Urraaa!!! Urraaa!!! Urraaa!!! – ryk tysięcy gardeł uderzył grzmotem w mury Jerycha... A tu nic. Mury miały runąć po tej manifestacji siły i muzyki pierwotnej, ale nie runęły. Na murach rechocą Jerychony i pokazują zyg-zyg... Co jest? Pospieszna narada wojenna w sztabie i prawda wyszła na jaw: Pan zapowiedział, że mury runą, gdy cały lud wzniesie gromki okrzyk wojenny (Joz 6, 5). A nasz rachmistrz Szamek niczego nie wznosił, bo siedział w obozie i liczył okrążenia. Więc lud nie był cały. Powtórzyliśmy zatem manewr oblężniczy z wiadomym, jeszcze wzmocnionym zawołaniem, i mury zaczęły się kruszyć, pękać, obsuwać, aż wreszcie się rozpadły (Joz 6,20). Nikt nie zginął!

– Z wyjątkiem obleganych – powiedział Daniel, sięgając po dzban z winem.

– My ich tylko przeznaczyliśmy pod ostrze miecza; „wszystko, co było w mieście: mężczyzn i kobiety, młodzieńców i starców, woły, owce i osły" (Joz 6, 21).

– Zaraz, zaraz – przerwał Samson – podobno jednak darowaliście życie nierządnicy Rachab i jej rodzinie… ja tam lubię takie kobietki, ale czy to nie dziwne?

– Co jest dziwne? Ona ukryła i uratowała naszych dwóch zwiadowców (Joz 2, 4), których wysłałem, aby zbadali okolice Jerycha i samo miasto (Joz 2, 1), a którzy z pewnością zostaliby ugotowani w smole, bo siepacze króla Jerycha już wpadli na ich trop (Joz 2, 3). Sama ryzykowała życiem, chociaż prawdę mówiąc, ze strachu przed potęgą naszego Pana i zwycięstwem Izraela (Joz 2, 9–15). Tak czy inaczej, patriotycznie postąpiła Rachab.

– Bardzo patriotycznie… Ale wołałbym, aby wśród Izraela nie było takich patriotek, bo mogłyby nas sprzedać Edomitom czy Amorytom, którzy tylko czyhają na naszą zgubę. I co za przypadek, że nasi zwiadowcy trafili akurat do domu Rachab! Jak to się stało?

– Jaki tam przypadek… Ona po prostu miała na domu zawieszony baner z reklamą swoich usług, więc jakoś tak utknęli. A że okazała się mądrą i przewidującą kobietą, to uniknęła naszej słusznej zemsty, a nawet zabraliśmy ją z rodziną do obozu, zanim spaliliśmy miasto (Joz 6, 23–24).

– Więc poszło z dymem... Ale daliście im tęgiego łupnia, to był kawał dobrej roboty!

– Hm, hm... – zamruczał niewyraźnie Hiob – całe siedem dni oblężenia. To znaczy, jeden musiał wypaść w szabat, czyli w dzień poświęcony Panu. A przecież według słów Pana kto by wykonywał pracę w szabat, powinien być ukarany śmiercią (Wj 31, 15). Wystarczyło, że jakiś człowiek zbierał drwa na pustyni w ów dzień, a na polecenie Pana został ukamienowany! (Lb 15, 32; 35–36)

– My nie zbieraliśmy drew! – oświadczył Jozue. – Robiliśmy tylko pokojową manifestację, prawa, lewa, tup, tup...

– A mówiłeś, że lewa, prawa! – wtrącił Samson.

– W ostatni dzień oblężenia zaczęliśmy od prawej, bo i cała strategia się zmieniła.

– Tak, tak, marsz z przytupem – zadrwił Hiob. – Ale jeśli spełnialiście ów obrzęd ścinania głów akurat w dzień szabatowy?

– Coś mi zdaje – powiedział twardo Jozue – że chcesz wbić klin i ugodzić w nasze odwieczne, wielokrotnie odnawiane Przymierze z Panem!

– Co może wbijać taki hodowca nierogacizny jak ja? Najwyżej nogi w błoto na moich bagniskach nad rzeką...

– Musisz jednak wiedzieć, że to Pan zaplanował zdobycie tego miasta i opracował skuteczną, a przy tym oryginalną strategię oblężenia, której nikt jeszcze nie stosował. I to powinno ci wystarczyć, nudziarzu.

– Ale – upierał się swym prowincjonalnym umysłem Hiob – w dzień szabatu należy złożyć Panu w ofierze dwa roczne jagnięta (Lb 28, 9). Chyba że zaliczyliście sobie te, które zostały zarąbane po zdobyciu miasta, o czym wspomniałeś. Ale i to na nic, bo ofiary całopalne muszą być składane tylko na tym miejscu, które obierze sobie Pan, a nie byle gdzie, jak wiązka chrustu (Pwt 12, 13–14).

No i ta rąbanka wszystkiego, co się poruszało na dwóch czy czterech nogach...

– Nie mówiłem, że nudziarz? A dlaczego mielibyśmy darować życie temu motłochowi? Czy Mojżesz nie rozkazał Izraelitom, aby po wejściu do Ziemi Obiecanej wytępili siedem narodów, nie okazując im litości (Pwt 7, 1–2), i gwarantując, że gdyby nawet jakieś ich niedobitki się gdzieś ukryły, to Pan, który jest z nami, ześle na nich szerszenie, aż wyginą (Wj 23.28; Pwt 7.20), bo to wściekłe, nieustępliwe i jadowite robale? I czy sam Pan nie wytępił przed nami Refaitów i Chorytów (Pwt 2.21–22), i czy nie wydał nam Sichona, króla Cheszbonu, abyśmy w jego miastach wycięli wszystkich mężczyzn, kobiety i dzieci? (Pwt 2.34) I czy nie to samo spotkało Oga, króla Baszanu? (Pwt 3.3) Czy Mojżesz, ten wielki mąż, po zejściu z góry Synaj nie zarządził wycinki nieposłusznych bałwochwalców, tak że odesłano ich do Pana około trzech tysięcy? (Wj 32, 27–28)

– Co w tym dziwnego? – zapytał Józef. – Każdemu by nerwy puściły. Schodzisz sobie z góry po czterdziestu dniach i co widzisz? Pogańską bandę, wyjącą i skaczącą jak małpy wokół złotego Apisa! (Wj 32, 19) Ludzi o twardym karku, według słów Pana (Wj 32, 9), z których wyłazi jak słoma z buta dawna wiara w wielu bogów!

– Bardzo to pięknie i naukowo wywiodłeś, Józefie – włączył się Daniel – ale myślę, że zadziałały tu też osobiste upodobania i talenty. Kiedy pod wpływem emocji Mojżesz zaczął krzyczeć: «Ciemny motłochu, barany stepowe pustorogie, trąby jerychońskie, wy, protoplaści pantofelka» – nawrzucał Izraelitom, nie da się ukryć – to ze złości tak grzmotnął tablicami o ziemię, że się rozbiły niechcący (Wj 32, 19). Od razu zrozumiał, że Pan każe mu wyciosać nowe dwie tablice (Wj 33, 1), a to nie byle co. Do takich celów jak najważniejszy doku-

ment wiary, musiało to być dzieło sztuki. Odpowiedni kształt, wielkość, szlif, surowiec – najlepiej piaskowiec krzemionkowy, kamień w miarę szlachetny, a zarazem bardzo stosowny do wykucia Przykazań. Gdyby Panu, który jest twórcą piękna, Mojżesz pokazał niezdarne, z grubsza ociosane płyty, mógłby się szybko znaleźć u podnóża góry... Więc wiedział, jaka praca go czeka, a wolał walkę niż rzemiosło. Dlatego najpierw kazał zgładzić owe trzy tysiące mężów i dopiero kiedy się tym uspokoił, zabrał się do żmudnej, rzemieślniczej dłubaniny. To proste.

– Gdyby nas poprosił o radę – odezwał się Krulas – uporałby się z tym szybko. Znamy się na wszystkim.

– Wy, to znaczy kto? – zapytał Józef. – Bo to raczej my się znamy ze wszystkimi. Ale skąd wziął się tu wasz triumwirat? Bo jakoś sobie nie przypominam...

– Nic dziwnego – odrzekł Krulas. – Nadzwyczaj skąpo przekazano nasze dzieje. Ale chętnie opowiem to i owo. Jestem królem. Nie bardzo wiem czego, bo w Księdze tego nie zapisano. Kiedy pewnego wieczoru przechadzałem się po moim egzotycznym ogrodzie, zobaczyłem na niebie dziwne znaki: biegające gwiazdy, niektóre z ognistym ogonem i światłością niezwykłą. Z pomocą astrologa domyśliłem nad ranem, że owe znaki muszą zwiastować jakieś niezwykłe wydarzenie, ale jakie? Zaraz więc wysłałem umyślnego do Mendrasa, który znanym i szanowanym filozofem jest, z pytaniem: Czy ty widzisz na niebie to samo co ja? Już po dziesięciu dniach posłaniec wrócił z odpowiedzią.

– Jaką odpowiedzią?

– Bardzo krótką, to było jedno słowo: „Tak". Wtedy dopiero pomyślałem, że nie wiadomo, co on widzi, skoro mu nie powiedziałem, co ja spostrzegłem w noc pamiętną. Więc znów popędził posłaniec do Mendrasa z opisem wydarzenia, ale zanim wrócił, przybiegł pospieszny od Bajdurasa, maga i mistrza czarnoksięskich sztuczek, z pytaniem: Czy ty widzisz na niebie to samo co ja? Odpowiedziałem „Tak" – zanim dotarło do mnie, że nie wiem, co on zobaczył, ale było już za późno... Potem była wielokrotna bieganina w trójkącie Krulas – Mendras – Bajduras, w różnych kierunkach, aż jeden z gońców wyzionął ducha... Mnie zaś w końcu olśniła myśl, że owe wydarzenia muszą oznaczać narodziny Króla żydowskiego!

– Nieprawda – sprzeciwił się Mendras. – Przecież to ja sformułowałem taką hipotezę naukową!

– Niech ci będzie... Ale to my z Bajdurasem postanowiliśmy sprawdzić ową teorię. Stąd też wziął się pomysł wyprawy do miejsca narodzin tego Króla i zamiar złożenia mu hołdu.

– W tym celu – mówił Bajduras – trzeba było zorganizować karawanę wielbłądów, służbę, zaopatrzenie. Hołd hołdem, a wygoda wygodą. Droga była daleka i nieznana, a kierownictwo tajemniczej gwiazdy niepewne. No i podróżować należało nocą... w dzień gwiazdy są niewidoczne.

– Dziwna rzecz – powiedział nieufnie Jonasz – że gwiazda ukazała się akurat wam, nikomu więcej, i że tylko wy ją rozpoznaliście... Czy w ogóle słyszeliście kiedyś o Izraelu i jego królach?

– Sława tego mocarstwa... znaczy, nie, nie słyszeliśmy. Nasz kraj jest odległy, a na południu i północy bogowie umieścili wielkie morze. Na południu ogromne!

– Dobrze, że nie na zachodzie, na trasie gwiazdy, inaczej wasze wielbłądy musiałyby żwawo machać kopytami w wodzie... A ten Krulas czy Mendras dorównał naszemu Danielowi, co mówię, przebił jego zdolności odgadywania cudzych snów! Odczytać z gwiazd, kto się

narodził gdzieś daleko, i ruszyć w podróż, aby komuś całkowicie nieznanemu bić czołem? Że też moje talenty sięgają najwyżej przewidywania urodzaju oliwek... Czy przy narodzinach każdego króla macie takie hołdownicze napady?

Tutaj zamilknął Krulas, ale na krótko.

– Nie – odpowiedział po chwili – mówiłem przecież, że stało się to za sprawą gwiazd, a one przemawiają bardzo rzadko. A skąd wiedziałem, że chodzi o Króla żydowskiego? To chyba cud i przeznaczenie, bo chociaż nigdy nie słyszałem o takim kraju, to coś we mnie krzyczało: Król żydowski się narodził! Król żydowski się narodził! A takiemu wołaniu się nie oprzesz. Jakieś tajemne siły, moce, wołają: masz tam jechać, musisz to zrobić! Z mocami niebieskimi nikt nie wygra.

– Jednakże – powiedział Bajduras – niebacznie trafiliśmy na dwór króla... jak mu tam? Właśnie, Heroda (Mt 2, 2), nie wiedząc, że ów niegodziwiec chce nas wykorzystać jako zwiadowców w celu ustalenia miejsca pobytu nowo narodzonego, aby go zgładzić. Nie udało mu się to. No, a resztę już znacie.

– Niektórzy mówią, że jesteście czarownikami czy magami...

– Bo jesteśmy, w chwilach wolnych od nauki czy wymądrzania... chciałem rzec: uprawiania nauki z najwyższej półki, zabawiamy gawiedź pokazami magii orientalnej – na przykład wywoływaniem duchów, lewitacją, rozpędzaniem chmur, wyciąganiem królika za uszy, żonglowaniem glinianymi amforami do wina, a są one niemałe...

– Iloma amforami?

– Na początek sześcioma, później jedną lub dwoma, które pozostały nierozbite!

– Nie wiadomo nawet, ilu was jest, bo Pismo o tym dyskretnie milczy. Skąd wzięła się opowieść o Trzech Królach?

– Z liczby darów. Skoro były trzy: złoto, mirra i kadzidło, a każdy przywiózł swój dar, to jasne, że musiało być trzech! To tak proste, jak droga przez pustynię, którą przebyliśmy bezbłędnie, skoro tu jesteśmy!

– Zależy dla kogo – rzekł filozoficznie Dawid, który miał umysł analityczny. – Czy pod ciężarem złota uginały się nogi wielbłądów i prostowały ich garby? To samo jest z mirrą i kadzidłem! Inaczej mówiąc, święty mężu, każdy mógł przywieźć w sakwie po trochę tych wszystkich skarbów, nie potrzeba trzech mądrali. Mogło być dwóch albo pięciu!

– Słusznie prawi! – rozległy się głosy aprobaty.

– Senatorska głowa!

– Taka głowa tęga rzadko się wylęga!

– Taki to i królem mógłby zostać!

– Przecież jest, ty baranie!

– W takim razie imperatorem Augustem!

– A mnie – odezwał się Jonasz – dziwią takie dary. Po co one maluchowi? Czy nie lepsze byłyby mechaniczne zabawki, ubranka z bawełny, pieluszki czy rowerek?

– Nie wypada dawać królowi rzeczy choćby praktycznych, ale o małej wartości materialnej! – zabrał głos Mendras. – Nasze dary osiągają na rynku ogromną wartość, są godne koronowanej głowy, a złoto może nawet w razie czego uratować życie!

– Niby w razie czego?

– W razie… no, powiedzmy… na przykład w razie ucieczki do Egiptu (Mt 2, 13). Trzeba zakupić osiołki, przekupić strażników, celników, a wiadomo, jaka wszędzie korupcja. Bakszysz, bakszysz… Jawnie czy skrycie, ratuje życie.

– Ucieczka do Egiptu? Kto i po co? Do tego domu niewoli, z którego nasi praojcowie, z Mojżeszem na czele, uciekli od faraona, wyzyskiwacza i krwiopijcy?

– Zatwardziałego heretyka, którego nawet żaby, muchy, komary, zaraza i inne plagi nie przekonały, że z naszym Panem zadzierać nie warto?

– Wróżby, magia, tarot, czarnoksięskie sztuczki – powiedział Bajduras – to nasza specjalność. Jeśli chodzi o przewidywanie przyszłości, to przy nas Nostradamus jest cienki jak listek papirusa. To się sprawdzi... więcej nie powiem.

– A cuda? Umiecie robić cuda?

– Cuda to najwyższy poziom wtajemniczenia. Pościmy, zaklinamy, uzdrawiamy. Na razie jeden uzdrowiony umarł, ale nieuzdrowionych jest jeszcze bardzo dużo. Nic to! Alleluja i do przodu. Kto przepłynął przez pustynię, sprawi cuda w medycynie.

– Jak to przepłynął?

– Pustynia to też ocean... suchy. „Wpłynąłem na suchego przestwór oceanu..." – czyż nie tak pisał wieszcz?

– A imiona? Skąd one się wzięły? W Piśmie nie macie ani imion, ani nawet numerów!

Zafrasowała się cała trójca...

– Ach, chyba już wiem – powiedział Krulas – stało się tak, bo kiedy oddaliśmy hołd nowo narodzonemu Królowi w Betlejem, otrzymaliśmy we śnie ostrzeżenie, aby nie wracać do Heroda, więc postanowiliśmy inną drogą udać się do kraju (Mt 22, 12). A wcześniej nie było okazji się przedstawić, Herod zaś nas o imiona nie pytał.

– Pilną sprawą było dla niego zlokalizowanie rywala, aby to niby oddać mu pokłon (Mt 2, 8) – dodał Bajduras – a nie towarzyskie konwenanse. Wtedy jeszcze nie wiedzieliśmy, że to nieprzyjemny typ, który lubi udusić, poderżnąć gardło lub utopić w sadzawce!

– Przecież znane są wasze imiona, tyle że całkiem inne niż te, którymi się teraz posługujecie!

– Widocznie jakiś gorliwiec postanowił nas oznakować – jak osły czy barany przycinaniem ucha – imionami, które sam wymyślił. Uznał, że w ten sposób doda nam wiarygodności, choć my i tak jesteśmy wiarygodni nadzwyczaj. Jaki Kacper, Melchior, Baltazar? To uzurpatorzy. Krulas, Mendras, Bajduras – z królestwa Persji, Babilonii, Elamu – to my! Niewolnico, przynieś nam tu kawał baraniny i antałek wina – jesteśmy wysuszeni jak daktyle z palmy *Phoenix dactylifera*! Wypijemy i przepadniemy na zawsze w pomroce dziejów!

– I mnie!

– I mnie także!

– Oni dopiero przepadną – powiedział Hiob – ale Judyta, która Holofernesowi ciachnęła głowę jak kapustę? Dlaczego nie ma jej wśród nas?

– Zmarła biedaczka, niestety... to czasem spotyka kobiety.

– Wielka szkoda, dzielna to była niewiasta. Która inna dokonałaby takiego czynu?

– Znam trochę jej podobną. Często trudna sytuacja rodzi nadzwyczajnych ludzi. Ale różnych szczegółów nie pamiętam...

– Ja opowiem! – włączył się Jozue.

– Niby dlaczego ty?

– Jak to dlaczego? Bo nie byłem przy tych wydarzeniach i nic o nich nie wiem. Gdybym nie był bohaterem wojennym, zostałbym z pewnością historykiem albo dziennikarzem. To proste.

– Rzeczywiście – pokręcili z podziwem głowami stołownicy – że też my na to nie wpadliśmy!

– Nabuchodonozor – zaczął Jozue – taki król, który przypomniał sobie, że musi coś podbić, zniszczyć, pomścić, a także zmasakrować tu i tam, nakazał Holofernesowi, aby wyruszył na zachód przeciwko zuchwałym ludom i obiecał im taką zagładę, że ranni wyrównają wąwozy, a zabici tak zapełnią wody i potoki, że te aż wyleją (Jdt 2, 7–8). Ci, którzy będą się sprzeciwiać, zostaną wymordowani lub złupieni (Jdt 2, 11). O, król ten umiał trafiać do przekonania opornym, a i nieoporni nie mogli się spodziewać listu pochwalnego. Lubił kogoś obedrzeć ze skóry, ciągnąć końmi po majdanie, wbić na pal, wyłupić oczy jak choćby Sedecjaszowi po zburzeniu Jerozolimy i zrabowaniu skarbów świątyni Pańskiej (2 Krl 25, 7, 9, 13–16), jak to król... Pewnie, byli tacy, co to gardłowali po cichu, że tyran, satrapa i w ogóle padalec, ale tych porywały jakieś demony i znikali na zawsze. Gdy jednak wyruszył Holofernes, zdarzyło się, że delegacja samobójców z ludów zuchwałych przybyła do niego z uniżonym pytaniem: „Jaśnie Panie, dopraszamy się łaski... Co zamierzacie z nami uczynić?". Odpowiedź brzmiała: „To, co zwykle, będziemy was gnębić niemiłosiernie!". Ci odpowiedzieli: „Do gnębienia jesteśmy przyzwyczajeni, błagamy tylko, aby nie było gorsze niż zazwyczaj...", na co on odrzekł złowrogo: „Zacznijcie się natychmiast przyzwyczajać do znacznie gorszego!". Więc Holofernes oblegał Betulię, a kiedy sytuacja stała się krytyczna i nawet woda została odcięta przez oblężników (Jdt 7, 20), Judyta wyszła z miasta wraz z niewolnicą i pod eskortą straży stanęła przed obliczem wodza, w jego bogatym namiocie. Ten zapytał łaskawie, dlaczego zbiegła i z czym do niego przybywa (Jdt 11, 3). «– Panie – odpowiedziała Judyta – moja pieśń to wyjaśni, posłuchaj więc tej melorecytacji».

Oto przybywam tu z miasta
Które jest pośród gór skryte

Lecz ku zgorszeniu wyrasta
Jako moralny rozbitek
  W mieście tym zło dziś się pleni
  Bo wśród mis, dzbanów, talerzy
  Lud zjada z win i pieczeni
  To, co się Panu należy
Więc staję oto przed tobą
Wdowa, czci Pana westalka
Pewna, że z twoją osobą
Wszelka daremna jest walka
  Wszędzie twa, wodzu, moc sięga
  Żaden cię wicher nie złamie
  Orla twych lotów potęga
  I jako piorun twe ramię!

«– Panie – mówiła dalej Judyta – tak oto rzeczy się mają. Oni tam, bluźniąc, uchwalili, że będą spożywać nawet to bydło, które Bóg zabronił im spożywać, i te zboża, wina i oliwę, które jako poświęcone, miały być przeznaczone dla kapłanów pełniących służbę u Boga, a których nikomu nawet dotykać nie wolno (Jdt 12, 13). Dlatego uciekłam od nich. Za takie niegodne czyny, których głód żadną miarą usprawiedliwić nie może, a których bogobojna niewiasta wybaczyć nie potrafi, chcę, aby zostali oni ukarani twoją ręką. Dlatego poprowadzę twoje wojska, pokażę tajemne ścieżki i przejścia i tak zostaną oni pogrążeni i zgubieni!».

Holofernes był ugotowany i zachwycony, zarówno urodą Judyty, melodyjną, kuszącą barwą jej głosu, jak i uwodzicielskim, syrenim zaśpiewem jej poezji. Stracił głowę. To znaczy, chciałem powiedzieć, że na razie był oczarowany, głowę stracił nieco później – pospiesznie wtrącił Jozue. – Lecz chociaż był tęgim rębajłą, to w Akademii Ateńskiej mógłby zajmować stanowisko najwyżej nocnego stróża. Olśniony urodą, przemową, złotymi bransoletami, pierścieniami i kolczykami na jej ciele, doznał takiej iluminacji, że uwierzył we wszystkie słowa Judyty. Pochłonęła go tylko jedna myśl: zobaczyć ją bez tych wszystkich błyskotek... i bez szat, chociaż bardzo pięknych, na tle białego prześcieradła za zasłoną z purpury przetykanej złotem, szmaragdami i drogimi kamieniami (Jdt 10, 21). I już po wieczności, czyli czwartego dnia, wydał dla niej ucztę (Jdt 12, 10–11), której nigdy nie było mu dane wspominać. Kiedy nadmiernie upojony winem usnął, Judyta jego własnym mieczem odcięła mu głowę (Jdt 13, 2; 6–8). Potem wróciła do Izraelitów w Betulii, ale to niewolnica niosła w torbie głowę, tak jak wcześniej do obozu niosła wino, kaszę, ciasto, chleb, ser, pachnidła (Jdt 13,10; 10, 5). A pozbawiona dowódcy asyryjska hałastra poszła w rozsypkę, Izraelici rozgromili ją i zdobyli wielkie bogactwa (Jdt 15, 5–7).

– Oto, jak należy zachowywać się w jaskini lwa – powiedział Jonasz. – Ja w tym moim wielorybie nie miałem takich możliwości, bo z pewnością bym go rozpłatał na filety, a możecie mi wierzyć, że warunki tam w środku są okropne.

– Wolę wierzyć niż sprawdzać, inaczej niż apostoł Tomasz – zadeklarował Hiob. – Ostatecznie dobrze na tym wyszedłem.

– Kobiety mają swoje przeróżne, ale zawsze skuteczne metody – powiedział Józef. – Zdarzyło się na dworze króla Aswerusa, że jego wezyr Haman, niezbyt przychylnym, a przed obiadem nawet wrogim okiem patrzący na Żydów, zapragnął wydać dekret, aby ich wybić w całym państwie, a ich majątki skonfiskować – i aby króla do tego nakłonić, obiecał mu dziesięć tysięcy talentów srebra (Est 3, 8–9). Wtedy Estera, wybrana królową spośród innych piękności, która nie ujawniła królowi, że pochodzi z narodu wybranego (Est 2, 17, 20), udała się do króla, przyodziana we wspaniałości swoje (Est 5, 1), a przypadkowo dość frywolnie odsłaniające najatrakcyjniejsze rejony jej ciała. «– Czego pragniesz, królowo? – spytał król Aswerus, jak wszyscy wschodni władcy niezmiernie wrażliwy na wdzięki kobiece. – Jeśli nawet połowy królestwa, już jest ona twoja! (Est 5, 3)». Ale ona poprosiła tylko, aby na ucztę, którą dziś wydaje, przyszedł król i Haman (Est 2, 4). A na uczcie wyjawiła, kim jest, prosząc króla o ratunek dla siebie i swego narodu, który dekretem Hamana niegodziwca ma być całkowicie wytępiony (Est 7, 3–4; 6). «– Ty niedobry człowieku!» – powiedział król, grożąc Hamanowi pięścią i zapominając we właściwym momencie o swej gotowości przyjęcia od niego dużej ilości kruszcu za udział w likwidacji ludzi niepotrzebnych… A kiedy wrócił z ogrodu, upewniwszy się w nim o własnej mądrości, dał umówiony znak swojej służbie. I gdy uczta trwała jeszcze w najlepsze, Haman już kołysał się dostojnie na drzewie przed własnym domem, bo tam właśnie go powieszono (Est 7, 9–10).

– Należało mu się, temu rasiście – ocenił Daniel. – Aż szkoda, że dyndał na tym drzewie tak krótko, bo według prawa trup musi być pochowany tego samego dnia, przed nocą (Pwt 21, 22).

– W tym przypadku jest inaczej – wtrącił Jozue. – On był Macedończykiem czy innym barbarzyńcą (Est 8, 12k), więc naszych praw nie uznawał. Pewnie powisiał sobie dłużej.

– A król Aswerus – mówił Józef – postanowił odciąć się od niechlubnej przeszłości, w której brał udział. Posłuchał więc prośby Estery, aby odwołać dekret Hamana (Est 8, 3), i zezwolił jej i jej opiekunowi Mardocheuszowi napisać w imieniu króla takie pismo, jakie uzna za dobre w sprawach Żydów (Est 8, 8). «– No, już ja was dranie wykończę – pomyślał mściwie Mardocheusz o wrogach izraelskiego ludu – już czujcie się trupami...». Wezwał więc skrybów i podyktował im dekret, w którym zezwolił Żydom we wszystkich królewskich państwach, miastach i okręgach, aby trzynastego dnia miesiąca Adar mogli zgromadzić się i wymordować swoich wrogów, tych, którzy ich nienawidzą, wraz z ich niemowlętami i kobietami, a majątki wrogów przejąć na swoje konto (Est 8, 11–12).

– Hu, ha, eureka! Wesoły nam dzień dziś nastał, szczęsny los szczodrością szastał... Wszędzie gdzie dotarły słowa dekretu, nadszedł dla Żydów czas radości, uczt, tańców i zabaw (Est 8, 17). Ale – mówił dalej Józef – gdy nadciągnął dzień dekretem przewidziany, Żydzi zabrali się żwawo do dzieła zemsty: mieczem zabili wszystkich swoich wrogów i tych, którzy ich nienawidzili, w samej Suzie zamordowali pięciuset mężów i dziesięciu synów Hamana, wszystkich razem siedemdziesiąt pięć tysięcy, ale po ich majątek nie wyciągnęli ręki (Est 9, 5; 10; 16), co jest jak najbardziej...

– To wszystko bardzo chwalebne – odezwał się któryś z biesiadników, przerywając przedmówcy w pół słowa. – Ale jak oni rozpoznali i wyłapali ten wrogi element i to w jeden dzień?

– Wcale nie musieli go szukać. Heroldowie satrapów, namiestników i zarządców, czujących już dobrze, skąd nowy wiatr wieje, wezwali wszystkich, którzy nienawidzili Żydów, zabijali ich i mordowali podstępnie, aby zebrali się na głównym placu miasta wraz z kobietami i niemowlętami, ponieważ będą wybijani przez Żydów, ostrzem ich miecza. Przyszli wszyscy, strach przed niewykonaniem rozkazu był większy. A gdy już przyszli, to szereg, pieniek, miecza świst... szereg, pieniek, miecza świst… Góry głów rosły coraz wyżej, trzeba było kolejnych chętnych ustawiać na nowych miejscach. I tak dzięki Esterze, która podobnie jak Judyta umiała oczarować władcę, Żydzi uwolnili się od swoich wrogów, a święto *Purim* jest aż dotąd pamiątką owych dni.

– Judyta wykonała ruch wyprzedzający – rzekł Dawid – ale i Jael zachowała się wzorowo. Gdy nasz wódz Barak pobił wojska Sisery i swoim zwyczajem wyciął do ostatniego (Sdz 4, 16), tylko Sisera uciekł i schował się w namiocie Jael, która go ukryła i obiecała bezpieczeństwo. Ale kiedy Sisera usnął, Jael wyrwała palik od namiotu, nie zważając, że może się zawalić, wzięła młotek, i puk, puk, puk, wbiła tym młotkiem ten palik w skroń Sisery (Sdz 4, 21), a on się wcale nie obudził… Kiedy przybył Barak, Sisera leżał już przybity do ziemi, bo długi to był palik (Sdz 4, 22), i szarpały nim nerwowe drgawki, ale zaraz przestały… Patriotycznie przybiła go Jael do ziemi. Czy przybita, czy obcięta głowa, sytuacja jest moralnie zdrowa. Dziwna rzecz, trzy kobiety, podstępy, obcinanie głów, a Pan zupełnie nieobecny, widocznie zajęty gdzie indziej, i wszystkie musiały radzić sobie same.

– To prawda. Ale dlaczego Jael mieszkała w namiocie?

– Ech, to nasze niedbalstwo językowe. Należało powiedzieć po prostu: szałas. Mieszkała w nim, bo pewnie było gorąco, zresztą takie czasy. W szałasie mieszkał Lot i Abraham, Noe i Jakub i Kain z Ablem, ale po nich szałas pozostał pusty, a jednak nikt go nie ukradł. Może dlatego że poza nimi chodzili po ziemi tylko Adam i Ewa.

– Ale – zgłosił swoje wątpliwości Hiob – Jael obiecała mu jednak bezpieczeństwo. Ktoś powiedział, u mnie słowo droższe pieniędzy, tylko nie mogę sobie przypomnieć…

Rozległ się ogólny szum i rozgwar.

– My, Izraelici – powiedział Dawid – lubimy dawać słowo. Dlatego Pan zawierał z nami przymierze, jedno, drugi, trzecie i następne, abyśmy mieli okazję dawać kolejne słowo, Pan ma dużo wyrozumiałości dla grzeszników. A my obiecywaliśmy nie buntować się, nie złorzeczyć, nie czcić obcych bogów, przestrzegać nakazów i zakazów, nawet tych dziwacznych jak ten, który zabrania zawiązać pysk wołowi młócącemu (Pwt 25, 4) lub wydać niewolnika, który uciekł od swego właściciela (Pwt 23, 16), ale jakoś nam to nie wychodziło…

– Za to dosyć sprawnie uprawialiśmy kult różnych Baali i Asztarte (Sdz 1, 13).

– I tego krwiożerczego Molocha (Kpł 20, 1–2).

– A nawet bogów Aramu, Sydonu i Moabu, bogów Ammonitów i Filistynów (Sdz 10, 6).

– W ogóle bardzo lubimy robić to, co złe w oczach Pana. Więc Pan musiał zapłonąć gniewem i posłużyć się wrogami Izraela – a to wydać nas w ręce nieprzyjaciół i ciemiężców (Sdz 2, 14), a to na osiem lat oddać królowi Aram – Naharaimu (Sdz 3, 8), a to w ręce króla Moabu (Sdz 3, 12–13), to znów Jabina, króla Kanaanu na dwadzieścia lat (Sdz 4, 1–2), a to na siedem lat poddać Madianitom (Sdz 6, 1), a to na osiemnaście lat Filistynom i Ammonitom (Sdz 10, 7–8), a gdy i to nie poskromiło krnąbrnych wybrańców, jeszcze raz na łup Filistynów na lat czterdzieści (Sdz 13, 1).

– Wszystko to prawda, jednakże Pan wywyższył nas ponad inne narody, uczynił swoją własnością (Kpł 20, 26), i to cieszy. Tyle że ze świętością, którą nam nakazał, mało komu po drodze…

– Mnie jest po drodze! – oburzył się Hiob. – Chociaż to droga wyboista, wiem coś o tym.

– Ja tam wolę równe drogi – odrzekł Jonasz – chociaż z tych naszych, najrówniejsze są te przez pustynie...

– Pan nie miał innego wyjścia – powiedział Józef – niż upokorzyć i poddać nas okupacji. Przecież już wcześniej napominał, ostrzegał i groził, że jeśli kto nie posłucha jego przykazań, nakazów, zakazów i wyroków, to straszny będzie jego los. Pan ześle na niego przekleństwo, zarazę, febrę, oparzenie, wrzody egipskie, hemoroidy, świerzb, obłęd, ślepotę, choroby zbóż i suszę na polach... «Niewdzięczniku – zapowiadał – rozdziobią cię kruki i wrony, rozszarpią hieny i szakale, żona cię zdradzi, twój wół zostanie zabity a osioł ukradziony, synowie i córki pójdą w niewolę, twoje uprawy pożre szarańcza... A jeśli te przykrości niczego cię nie nauczą, to pojawi się lud o wzroku dzikim, który zje twoje bydło i zbiory, zdobędzie twoje miasta za murami, a ty wskutek nędzy będziesz zjadał ciała swoich synów i córek, będziesz niewolnikiem i nikt cię nie wykupi, a wszystkich Pan tak wytępi, że tylko mała liczba pozostanie, a i tych rozproszy od krańca do krańca ziemi (Pwt 28, 20–68). Wyrwę was z korzeniami z mojej ziemi, którą wam dałem», mówił do Salomona (2 Krn 7, 19–20). Tak, tak... Pan ma bogaty repertuar środków dyscypliny i porządku, które może zastosować wobec swego ludu.

– Straszny jest los nieposłusznego – powiedział Jefte – tylko tak sobie myślę... Dlaczego tym wszystkim ludom naokoło, tym bałwochwalcom, pijakom, obcinaczom głów, Pan nie grozi takim kodeksem kar i niczego od nich nie żąda?

– Pan nie dba o nich, bo to nie jego ludzie. Przecież to my jesteśmy narodem wybranym, a o taki należy się troszczyć, opiekować, wymagać rzeczy wielkich, a i karać, gdy nie zachowuje norm nakazanych. Co to, nie czujesz się wyróżniony? – zapytał Jeftego Hiob.

– Czasem, zwłaszcza w okolicach drzemki południowej, gdy moi niewolnicy ścinają zboże na polach...

– To tak jak ja – odrzekł Hiob – ale słusznie powiedział Józef, że Pan ciągle ostrzegał Izraela i Judę, aby zawrócili z grzesznych dróg, lecz oni nie słuchali, służyli obcym bogom, ustawiali im stele i aszery na wzgórzach, uprawiali wróżbiarstwo i czarnoksięstwo, twardym uczynili swój kark (2 Krl 17, 7–10; 14–17). No, ale do czasu, bo wreszcie Pan zapłonął gwałtownym gniewem przeciwko Izraelowi (2 Krl 17, 18), widocznie cierpliwość się wyczerpała.

– Chyba jestem zbyt tępy, żeby to pojąć – uznał Jefte. – Bo przecież w tym czasie królem Judei został Ezechiasz, który potrzaskał stele, wyciął aszery i rozbił miedzianego węża Mojżesza, któremu Izraelici składali ofiary, przestrzegał przykazań Pana i nie było po nim ani przed nim podobnego między królami Judei (2 Krl 18, 4–5). Nie oszczędzał też na ofiarach w służbie Pańskiej; na ołtarzu całopalenia złożono siedemdziesiąt cielców, sto baranów i dwieście jagniąt, a jako święte dary jeszcze więcej: sześćset cielców i trzy tysiące owiec (2 Krn 29, 32–33). A jednak...

– Zapomniałeś – przerwał mu Daniel – że tych cielców i owiec było tyle, że zabrakło kapłanów do obdarcia ich ze skóry, więc musieli wspomóc ich w tym lewici, którzy byli bardzo gorliwymi obdzieraczami (2 Krn 29, 34).

– Tak, gorliwie obdarli – potwierdził Jefte – a jednak król asyryjski Sennacheryb, nie zważając na bogobojne postępowanie Ezechiasza albo w swojej ciemnocie lekceważąc, najechał wszystkie warowne miasta judzkie i zdobył je, a Ezechiasz musiał mu zapłacić ogromny okup (2 Krl 18, 13–15). Nie mógł się jednak z tym pogodzić, więc poszedł do świątyni Pańskiej, gdzie modlił się o wybawienie z rąk asyryjskich, nie wspominając wszakże o swojej ofiarności, lecz przywołując obelżywe słowa Sennacheryba pod adresem Pana (2 Krl 19, 14 16, 19). To była słuszna linia postępowania, bo Pan wysłuchał jego modłów. Tejże nocy wyszedł anioł Pański i wybił w obozie Asyryjczyków sto osiemdziesiąt pięć tysięcy ludzi. Rano wszyscy oni byli martwi (2 Krl 19, 35), a liczenie zabitych zajęło niewolnikom i innym poślednim elementom ten czas, który upływa między szabatami, bo każdy z nich potrafił liczyć, tylko przebierając wielokrotnie palcami własnych rąk. Nie wiadomo, jakie środki masowej zagłady wśród całkowitej ciszy zastosował niebiański mściciel krzywdy Izraelitów...

– Jak to nie wiadomo? – przerwał Daniel. – Ja obstawiam zarazę! Nie ma nic lepszego jak zaraza!

– A niech to... Rankiem widok śmiertelnych ofiar tak rozgniewał Sennacheryba, że zwinął obóz i wyruszył do Niniwy, myślałem, że ze złości, ale może ze strachu przed zarazą, która tak ci się spodobała... Ale nic mu to nie pomogło, bo i tam dopadła go ręka sprawiedliwości: dwaj synowie zabili go mieczami w świątyni, gdzie składał ofiary niesłusznemu bogowi Nisrokowi (2 Krl 19, 36–37).

– Niniwa... – wtrącił Jonasz – wiem, znam, byłem tam z misją, dzwonkiem alarmowym czy sygnałem ostrzegawczym od Pana. To było gniazdo rozpustników, awanturników i pijaków, a grzesznicy jeszcze gorsi niż ci w Sodomie i Gomorze, bo przebiegli. A miałem z nimi osobiste porachunki, bo to przez nich wpadłem w ciężkie tarapaty, więc moją misję opisałem im tak:

Przybywam tutaj, bo w Niniwie wszak łotrostw bezmiar, stąd zlecenie Pana
Aby was ostrzec przed skutkami... i tak wkręciłem
się w nieszczęścia tryby
Przeżyłem burzę morską, kąpiel, pysk zębaty – a wasza banda w sztok pijana...
I przez was miałem kwaterunek, w brzuchu tej
obrzydliwej ryby!

Kiedy ich ostrzegłem, że za czterdzieści dni Niniwa
zostanie zburzona, te chytrusy ogłosiły post, a ich król
nakazał nie tylko ludziom, ale i zwierzętom ubranie
worów pokutnych i odwrócenie się od złego postępowania, aby tak udobruchać Boga, że odstąpi on od swego
gniewu i ulituje się (Jon 3, 1–9). Miałem nadzieję, że Pan
jednak zetrze w proch to zagłębie łotrów albo przynajmniej wygarbuje im skórę, tymczasem przebaczył im
(Jon 3, 10). No, skoro tak... Zacząłem się modlić do Pana,
aby zabrał mi życie, bo nie chcę patrzeć na przewrotność
tych obłudników (Jon 4, 1–3). Ale Pan, tłumacząc swoją
amnestię naiwnością ludzi, którzy nie odróżniają lewej
ręki od prawej (Jon 4, 11), odrzucił mój wniosek, co
każdy widzi, skoro tu jestem...
– Czy była to sprawa militarna, czy też sanitarna – powiedział Jozue – owe sto osiemdziesiąt pięć tysięcy Asyryjczyków to wcale nie tak dużo jak na nieograniczone
możliwości anioła wyposażonego w moc niebiańską. Czy
nie na większy podziw zasługuje Pekach, król izraelski,
który jako narzędzie gniewu Pana na Achazie, królu Judy,
niepoprawnym odstępcy i czcicielu pogańskiej ohydy
(2 Krn 28, 1–4), wymordował jednego dnia sto dwadzieścia tysięcy dzielnych wojowników z powodów ideowych,
bo ideowym i bogobojnym człowiekiem był ów mąż?

– Z jakich ideowych powodów?

– Opuścili oni Pana, Boga swych ojców (2 Krn 28, 6), co demonstrowali publicznie, głośno wołając: Opuszczamy cię, Panie, Boże naszych ojców! Opuszczamy cię Panie... Wycinając mieczem zbiorowych odstępców, mąż Boży Pekach oświadczył: Bluźnierstwu mówimy twardo i stanowczo – Nie!

– Takie twarde, pryncypialne zasady nie wychodzą na zdrowie – zabrał głos Dawid. – Bo Pekach, który zresztą może z powodu tych zasad zabił złego króla Pekariasza, sam zginął z rąk Ozeasza. Ten został więc po nim królem (2 Krl 15, 25, 30) i przywrócił ulubione przez wielu jego poprzedników czynienie tego, co jest złe w oczach Pańskich, chociaż nie zdołał im dorównać (2 Krl 17, 2). No i doigrał się Ozeasz, królobójca, bo gdy nie zapłacił daniny królowi asyryjskiemu, ten pochwycił go i wrzucił do więzienia (2 Krl 17, 4), gdzie w towarzystwie szczurów przemyśliwał, czy nie lepiej jednak było zapłacić.

– Taki wysyp złych królów... – ocenił Jozue. – Zaledwie poczciwy Ezechiasz przeniósł się do wieczności, jego syn Manasses bardzo sobie upodobał wszelakie zło, w którym nurzał się jak w grzęzawisku. Wznosił ołtarze Baalowi, wstawił posąg Aszery do świątyni Pańskiej, uprawiał wróżby i czary, a nawet – o zgrozo! – oddał swego syna w ogień Molochowi, a całą Jerozolimę zatopił we krwi niewinnych ofiar, ten rzezimieszek (2 Krl 21, 3–7; 16).

– Amazjasz, ten sam, który strącił ze skały dziesięć tysięcy Edomitów, uczynił potem ich bogów swoimi, palił im kadzidło, bił przed nimi gorliwie czołem (2 Krn 25, 14), a lud składał im krwawe ofiary (2 Krl 14, 3–4) – przypomniał Dawid.

– Może nie powinienem tego mówić, ale nawet mądry król Salomon nie potrafił się oprzeć urokowi obcych bogów... – podsumował Daniel. – Zaczął czcić Asztarte i ohydnego bożka Ammonitów – Milkoma, któremu nawet zbudował posąg na górze naprzeciw Jerozolimy, podobnie jak Kemoszowi, bożkowi Moabitów (1 Krl 11, 7). Wcale się nie dziwię, że podpadł Panu, który dwukrotnie zakazywał mu tych obrzydliwych praktyk, ale Salomon nikogo nie lubił słuchać (1 Krl 11, 9–10).

– Tak jak i jego syn Roboam – uzupełnił Jefte – ten także budował stele i aszery, którym lud składał ofiary na wyżynach, przywrócił nierząd sakralny i różne obyczaje, którym hołdowali poganie. No, tego już było nadto. Napadł więc na Jerozolimę Szeszonk, król Egiptu, i zrabował kosztowności świątyni Pańskiej i pałacu króla, a nawet złote tarcze sporządzone przez Salomona (1 Krl 14, 23–26). Tak zło zostało ukarane.

– Nasi prorocy, zwykle czarnowidze – powiedział Daniel – przepowiadali, bo to ich specjalność, że źle to się skończy, skoro – jak mówił jeden z nich – Izrael i Juda okazali się odstępcami i bałwochwalcami, uprawiającymi kult drzew i kamieni (Jr 3, 6–7).

– Że ofiary składają cudzym bogom (Jr 7, 17–18).

– I że wszyscy na krew innych czyhają, książęta i sędziowie to łapownicy, nikomu nie można wierzyć, ani przyjacielowi, ani rodzinie... (Mi 7, 2–6).

– Taki Jeremiasz, sam się mianował prorokiem wysłanym przez Pana i w jego imieniu opowiadał, że Izraelici stali się gorsi niż ich przodkowie! (Jr 7, 25–26)

– Prorok Izajasz – rzekł Józef – ten się dopiero rozindyczył. Co mi – powiada w imieniu Pana – po waszych ofiarach? Syt jestem całopalenia kozłów, a krew wołów i baranów mi obrzydła, tak samo jak dymy, szabaty, święta i uroczystości, zaprzestańcie składania mi czczych ofiar, ja nie wysłucham waszych modlitw, bo ręce wasze pełne są krwi (Iz 1, 10–15). Ostro poszedł...

– Moje ręce nie są pełne krwi! – zaprotestował Hiob.

– Ani moje! – zawołał Daniel.

– Ani nasze! – chórem potwierdzili Krulas, Mendras i Bajduras.

Niektórzy zaczęli kręcić się niespokojnie, sięgać po dzbany z winem i gulgotać hałaśliwie.

– Ten Izajasz – powiedział Dawid – przypiął się też do postów. W ten dzień – krzyczał – kiedy człowiek się umartwia, wy znajdujecie sobie zajęcie, uciskacie swoich robotników, prowadzicie waśnie i spory, zamiast wypuścić na wolność uciśnionych, dzielić swój chleb z głodnymi, nagich przyodziać (Iz 58, 3–7). Ja tam w dzień postu niczego nie znajduję, nikogo nie uciskam i niczego nie prowadzę. Może dlatego, że rzadko poszczę, a do uciskania każdy dzień jest dobry, niekoniecznie postny.

– Przy takim stole jak ten mogę pościć bardzo długo – ocenił Samson.

– Pan nie zawsze posługuje się karzącą ręką obcych królów i wojowników, lecz osobiście piętnuje bluźnierców – powiedział Hiob. – Kiedy król Ozjasz wszedł do świątyni Pańskiej, aby złożyć ofiarę kadzielną, nie chciał przyjąć tego, co mu wbijali go głowy kapłani – że tylko do nich należy składanie ofiar, i rozgniewał się. Wtedy na jego czole pojawił się trąd, więc kapłani natychmiast go wypędzili. Mieszkał w domu odosobnienia i pozostał trędowaty aż do śmierci (2 Krn 26, 16–19, 21).

– Tak bywa, chociaż czasem Pan działa bezpośrednio, ale nie natychmiast – potaknął Jozue. – Przekonał się o tym Joram, który tak się różnił od swego ojca, bogobojnego Jozafata, jak zgniły owoc od zdrowego. Ten obmierzły typ nie tylko wymordował sześciu swoich braci i wielu książąt, ale czcił bałwany i czynił zło na wszelkie sposoby, więc Pan po wstępnych przykrościach w postaci uprowadzenia jego żony i synów przez Filistynów i Arabów zesłał na niego ciężką chorobę, tak że mu wnętrzności wyszły i umarł po trzech latach, jak prorok to przepowiedział (2 Krn 21, 3–4, 11; 16–19).

– Co znaczy sześciu braci? Król Abimelek, ten się dopiero sprawdził: wymordował siedemdziesięciu swoich braci! (Sdz 9, 5) – stwierdził Hiob.

– To tylko liczba symboliczna – powiedział Dawid – ale różnie ludzie umierają... Ten Abimelek nie przewidział, jak samemu marnie przyjdzie mu skończyć... W czasie oblężenia Tebes jakaś kobieta zrzuciła mu na głowę kamień od żaren i rozbiła czaszkę. Wiadomo, że byłaby to jednak hańba zginąć z rąk kobiety, więc nakazał giermkowi, aby go dobił, i tak umarł (Sdz 9.53–54). A przypominam sobie śmieszną sprawę z tym królem Moabu, o którym tu mówiono, to znaczy Eglonem, któremu Izraelici służyli przez osiemnaście lat (Sdz 3, 14). Musieli mu składać daniny, z taką też przybył do króla wybrany przywódcą Ehud, który ukrył przy sobie ostry szpikulec (Sdz 3, 15–16). «– Królu – powiedzieli dworacy – przybył ten Izraelita z tradycyjną daniną!» – ciągnął opowieść Dawid. «– Ach, daninka kochana – ucieszył się król – dawać go tu!» Ale kiedy zostali sami, Ehud wbił szpikulca w gruby brzuch Eglona (Sdz 3, 21–22), aż król kwiknął, krzycząc, że to zdrada, podstęp, nie fair, przysłali tu leworęcznego! Spostrzegawczością wykazał się król, bo Eglon był leworęczny... (Sdz 3, 15). I zaraz potem wyzionął ducha (Sdz 3, 25). Wzmocnieni tym psychicznie Izraelici pobili Moabitów, dziesięć tysięcy ich ubili, tak że nikt nie uszedł z życiem (Sdz 3, 29).

– Wcześniej też momenty były... – uśmiechnął się Jozue. – Kiedy Pan wezwał do walki z Kananejczykami Judę, ten poprosił o pomoc swego brata Symeona (Sdz 1, 1–3). Bardzo gorliwie przystąpili do walki, w Bezek zabili dziesięć tysięcy mężczyzn, pojmali Adoni-Bezeka i odcięli mu kciuki u rąk i duże palce u nóg (Sdz 1, 4–6). Ale przyjął to z godnością i dużym zrozumieniem. „Jak ja zrobiłem siedemdziesięciu królom, odcinając im te same palce, tak i mnie uczyniono" – powiedział (Sdz 1, 7). A gdy Izraelici uprowadzili go do Jerozolimy, którą zdobyli, i nie próbując być oryginalni, spalili, a ludność wycięli mieczem – Bezek, nie ociągając się, umarł (Sdz 1, 7–8).

– Ten Bezek z pewnością docenił, że został potraktowany z należytą wyrozumiałością... Nie spotkało go to, co siedmiu braci machabejskich i ich matkę – powiedział Daniel. – Tych król Antioch chciał zmusić do zjedzenia wieprzowiny, która z wieprza nieczystego pochodzi, bo zwierz ów, co chrząka i ryje, choć ma rozdzielone racice, nie przeżuwa pokarmu z braku czasu, bo żarłoczny on jest... Aby do tego zachęcić, bito ich wstępnie, choć uporczywie, batogami i innymi środkami dopingującymi, które jednak nie przekonały braci, po której stronie znajduje się słuszna sprawa, a jeden z nich w imieniu reszty wręcz zapowiedział trwanie w uporze aż do śmierci (2 Mch 7, 2). «– To da się zrobić – powiedział nieco rozdrażniony król i kazał rozpalić patelnie i kotły (2 Mch 7, 3). – Ty, pyskaczu, przysmażysz się pierwszy...». Obcięto mu więc język, palce i ściągnięto skórę z głowy. Potem król kazał go smażyć na patelni, a gdy rozchodził się swąd palonego ciała warchoła, jego matka zachęcała go, aby mężnie oddał życie (2 Mch 7, 4–5). Podobnie postąpiono z następnymi braćmi, z których żaden się nie załamał. A ostatni, któremu król obiecywał życie i zaszczyty, jeśli się odwróci od wiary (2 Mch 7, 24), wygarnął mu, co o nim myśli, wołając: «– Ty, najbardziej bezbożny i nikczemny ze wszystkich ludzi, poniesiesz sprawiedliwą karę za swoją pychę (2 Mch 7, 34, 36)... Oto, co ci powiem, ty babiloński kucharzu, macedoński kołodzieju, jerozolimski piwowarze, aleksandryjski garbarzu, egipski świniopasie, rzeźnicki psie, całego świata błaźnie, świński ryju, niechrzczony łbie, samego Lucyfera sekretarzu, oby łoże zbója Prokrusta cię nie ominęło...»

– Co to jest? Skądś znam te słowa – wtrącił się Józef, przerywając opowieść Daniela.

– Kozacy zaporoscy wyzwali tak znacznie później sułtana tureckiego w liście, proponując mu równocześnie, aby ich pocałował osobiście w to miejsce, które Pan w swej nieskończonej mądrości ulokował poniżej ostatniego kręgu lędźwiowego... Ale im uszło to bezkarnie, a Antioch kazał poddać młodzieńca jeszcze straszniejszym męczarniom. Wreszcie na tortury wzięto matkę całej siódemki nieprzejednanych wrogów wieprzowiny (2 Mch 7, 39–41). Oto, co znaczy stać twardo na gruncie zakazów Pana!

– Niekiedy trzeba tak potraktować nie fanatyków, lecz zwyczajnych zbójów – rzekł Dawid. – Jak wiecie, miałem drobne nieporozumienia z Saulem, bo niesłusznie podejrzewał mnie, że chcę go pozbawić tronu...

– Jak to niesłusznie? – zapytał Hiob.

– Bo powinien mieć pewność, że tak zrobię, gdy nadarzy się okazja, a nie tylko podejrzewać. Ale gdy zginął od własnego miecza, w obliczu przewagi filistyńskich nieobrzezańców (1 Sm 31, 4), dwaj złoczyńcy przynieśli mi głowę jego syna Iszbaala, myśląc, że mnie tym ucieszą. Tymczasem ani się obejrzeli, a już mieli odrąbane ręce, nogi i zawiśnęli w okolicy stawu w Hebronie (2 Sm 4, 12), bo tak kazałem ich ukarać za śmierć niewinnego człowieka. I tutaj zatriumfowała sprawiedliwość w osobie króla. *Dura lex, sed lex.*

– Pewnie nie zechcesz opowiedzieć, że i Absalom zginął w niezwykłych okolicznościach – powiedział Józef – ja to rozumiem. Bądź co bądź, to twój syn...

– Zostawmy okoliczności... Absalom sam chciał zostać królem, więc różnymi sposobami podburzał lud, schlebiał mu i zyskiwał popularność (2 Sm 15, 3–6). Zawiązał spisek, zgromadził wojsko w Hebronie, a gdy zobaczyłem, że to nie żarty, musiałem ze swoimi ludźmi uchodzić z Jerozolimy (2 Sm 15, 13–14). Doszło w końcu do bitwy w lesie Efraima i Pan dał zwycięstwo słusznej sprawie. Wojska Absaloma zostały pobite i zginęło ich dwadzieścia tysięcy (2 Sm 18, 6–7). Tak, tak... Życie króla nie jest łatwe.

– Normalna rzecz – powiedział Jozue. – Zawsze tak było, że gdy syn nie mógł się doczekać, aż tatuś zejdzie z tego świata, aby zająć jego tron, wywoływał bunty, powstania, spiskował, bruździł, organizował mu przy-spieszoną śmierć...

– Toteż nakazałem moim trzem dowódcom – mówił Dawid – aby postępowali z nim łagodnie (2 Sm 18, 5), bo dlaczego karać kogoś za podtrzymywanie ustrojowych tradycji? A kiedy zginął, opłakiwałem go, wołając, aby wszyscy słyszeli: «Absalomie, Absalomie, synu mój! Obym ja umarł zamiast ciebie!» (2 Sm 19, 1).

– To piękna pokazówka – zadrwił Jozue. – Nie da się przecież ukryć, że ten przypadek bardzo ci pomógł w powrocie na tron, a i ty pomagałeś losowi, nie szczę-dząc kapłanom i starszyźnie pochlebstw i obietnic (2 Sm 19, 12–15).

– Tak to się czasem układa – stwierdził Dawid. – A czy miałem pozwolić, aby jakiś awanturnik, uzurpator zajął tron, który należał się mnie, namaszczonemu przez Pana? (1 Sm 16, 1; 12). Niewolnice, te stoły są już puste! Dawać tu półtusze, a cielce, a wina!

Chór aprobaty zapełnił rozgwarem pomieszczenie. Wniesiono dymiące misy z niebiańsko pachnącą pieczenią, którą niewolnice sprawnie nakładały na talerze; wino lśniło w dzbanach i kielichach, biesiadnicy nie oszczędzali gardeł, a twarze robiły się coraz bardziej czerwone.

– Nikt nie wspomniał – powiedział półgłosem Daniel do Hioba – że Absalom uciekał na mule, ale w lesie uderzył głową w konar terebintu i zawisł na nim, a muł, nierozumne bydlę, popędził dalej (2 Sm 18, 9). Gdy zawiadomiony o tym Joab przybył na miejsce, spostrzegł, że Absalom nie spadł i nie uciekł, lecz nadal wisi spokojnie na gałęzi, a stopami niemal dotyka ziemi. Nie przewidział, że dzielny wódz Joab wbije mu w serce trzy oszczepy, a dziesięciu jego ludzi dokończy dzieła (2 Sm 18, 14–15). No to twoje zdrowie!

– Trzeba powiedzieć – włączył się po chwili Jefte – że nasza wiara chwiejna jest i zmienna, chociaż jesteśmy narodem wybranym! Nie pierwszy raz, zamiast służyć naszemu Panu, zaczęliśmy czapkować bogom Ammonitów, Moabitów, Filistynów i innym, choć nie wiadomo, co nam się w nich podobało. Nic dziwnego, że Pan zaczął być zazdrosny, a wreszcie rozgniewał się nie na żarty i swoim zwyczajem posłużył się mieczami Filistynów i Ammonitów, którzy – jak tu już wspomniano – pustoszyli kraj Izraela przez osiemnaście lat (Sdz 10, 6–8). Pan odrzucił jednak postulaty naszej delegacji o jego pomoc, twardo oświadczając, że ratunku powinniśmy teraz szukać u naszych nowych bogów (Sdz 10, 10; 14). «Nie, to nie» – powiedzieli Izraelici i pojęli, że muszą liczyć tylko na siebie, zaczęli więc szukać odpowiedniego wodza. Słusznie uznali, że to ja będę najlepszy (Sdz 11, 11), jako że miałem już odpowiednie doświadczenie, gdyż w kraju Tob prowadziłem walki i robiłem wypady, jakby to powiedzieć...

– Mów śmiało, rozbójnicze! – podpowiedział Samson.

– Niech będzie… bo też przyplątały się do mnie, jako walecznego człowieka, różne ciemne typy i brały w tym udział. Ale to wina moich braciszków, którzy wyrzucili mnie z domu, abym nie miał udziału w spadku po ojcu Gileadzie, że to niby z innej matki pochodzę (Sdz 11, 1–3). Więc zostałem wodzem i zaczęła się dyplomatyczna szarpanina z królem Ammonitów: „Oddasz moją ziemię?", „Nie oddam twojej ziemi, bo to jest moja ziemia", „Oddawaj ziemię złodzieju, bo to Pan nam ją dał", „Nie oddam ziemi, ty pastuchu, a twój Pan nie ma u mnie nic do gadania, bo mam swojego i to niejednego" (Sdz 11, 12–28). Były też różne obelgi i wyzwiska, ale tych posłowie nie umieszczali w raportach. No to wojna! Ale chociaż mieliśmy bardzo niskie notowania u Pana, uznałem, że nie zaszkodzi jednak ubezpieczyć się przed walką, nie za darmo, ma się rozumieć. Złożyłem więc Panu ślub, że jeśli da nam zwycięstwo nad Ammonitami, to po powrocie pierwszą osobę, która wyjdzie z mojego domu, przeznaczę mu na ofiarę całopalną (Sdz 11, 30–31). Aj, aj, aj… Czy mogłem przewidzieć, że będzie to moja córka?

– A kto jeszcze mieszkał w twoim domu?

– Nikt… bo służba mieszkała oddzielnie. Więc po zwycięstwie, które było klęską Ammonitów, dopiero gdy córka wyszła mi naprzeciw, zrozumiałem, co się stało (Sdz 11, 34–35). Chociaż córka usiłowała mnie pocieszać, że takie muszą być koszty zemsty na wrogach, to mogłem zrobić tylko tyle, że na jej prośbę udała się wraz z innymi dziewczętami na dwa miesiące w góry, aby tam opłakiwać swój los. A potem, gdy wróciła, musiałem złożyć ją na ołtarzu ofiarnym (Sdz 11, 36–39). Dlaczego zostałem tym wodzem? A skoro już zostałem, dlaczego nie przegrałem każdej bitwy?

– Dzielny z ciebie wojownik, Jefte, ale... jakim starożytnym kretynem trzeba być, aby składać takie śluby? Co to, ubzdurałeś sobie, że z twojego domu może wyjść na spotkanie jednooki cyklop Polifem, faraon, prześladowca Izraelitów, albo jakiś wędrowny złodziej? Straszna to rzecz, ale doigrałeś się...

– Aj, aj, aj! – biadał Jefte, mierzwiąc włosy i brodę. – Chyba zaraz pójdę i się powieszę! Dlaczego wcześniej o tym nie pomyślałem?

– Widocznie zapomniałeś... ale nie pora na lamenty – powiedział Józef. – Trzeba wiedzieć, że ofiary z ludzi są zakazane (Pwt 12, 31), chyba że chodzi o *cherem*, bo wtedy są dozwolone (Kpł 27, 29), chyba że zabronione...

– Aj, aj, aj! – jęczał nadal Jefte. – Widocznie jestem pod przemożnym wpływem Kananejczyków, którzy nadal owe haniebne praktyki uprawiają (2 Krl 3, 26–27), nie odciąłem się, nie wykazałem właściwej postawy moralnej, aj, aj, aj...

– Nawet gdy już zrobiłeś te śluby – rzekł Józef – mogłeś to jeszcze odkręcić. Powiedziano w prawie, że lekkomyślną przysięgę i swoją głupotę można okupić jej wyznaniem i ofiarą dla Pana jakimś drobnym bydłem, owcą lub kozą (Kpł 5, 4–6). Poderżnięcie im gardła to dosyć wygodny sposób zrzucenia winy na głupiego czworonoga, który i tak nie wie, o co chodzi, i to kapłan dokonuje całego rytuału. Ale ty wolałeś być zaciekłym fanatycznym dogmatykiem, czy odwrotnie, i zrobić całopalenie własnej córce! Nieznajomość prawa szkodzi, ot co!

– Chociaż – powiedział Jonasz – z drugiej strony, Pan nakazał, że jeśli mężczyzna złoży mu ślub czy przysięgę, to powinien wypełnić ją dokładnie (Lb 30, 3).

– Najważniejsze jest co innego – dodał Daniel. – Nawet po wygranej wojnie, czy nie pomyślałeś, że może wygraliście, bo byliście lepsi na boisku... to jest na placu boju, a Pan nie miał w tym żadnego udziału? Przecież sam mówiłeś, że mieliście u Pana zszarganą opinię, więc dlaczego miałby wam pomagać? Te twoje śluby tak czy tak nie miały żadnego znaczenia ani wpływu na wynik walki!

– Aj, aj, aj...

– A co ja mam powiedzieć – odezwał się milczący dotąd Hiob – skoro Pan upatrzył mnie sobie na ofiarę? Nie robiłem żadnych ślubów ani nie składałem obietnic, zwłaszcza że jako wieśniak zacofany, ceniący nade wszystko sielskie życie pośród łąk, gajów i strumyków płynących z wolna, mam w lewej podeszwie wszelkie wojenne młócki, jatki i rąbanki, chwalebne trupy, dzielnych zabijaków, łupiestwo i podbojowe błazenady... Ale to ja dostałem się w tryby machinacji piekielnego wysłannika! Ten podstępny i szmatławy typ, może ten sam, który w Raju zarzucił sidła na Ewę, albo jego brat, akurat mnie sobie upatrzył. Taki łotr nie cofnie się przed niczym! Wciągnął do gry samego Pana, wmawiając mu, że wystarczy pozbawić mnie majątku, abym zaczął Panu bluźnić (Hi 1, 9–11). Ja, Hiob! Chociaż wszyscy wiedzieli, że jestem sprawiedliwy, prawy, bogobojny i unikający zła (Hi 1, 1). Niczym Noe!

– A z kim szatan miałby eksperymentować, jak nie z takim obszarnikiem jak ty? – zapytał Józef. – Siedem tysięcy owiec, trzy tysiące wielbłądów, pięćset wołów, pięćset osłów, liczna służba (Hi 1, 3), ziemia, niewolnicy, domy, i te dla zwierzostanu... Dużo do stracenia! Byłeś najlepszym obiektem naukowym, szatan nie jest głupi. Czym mógłby zaszkodzić biedakowi?

– Jednakże – mówił Hiob – chociaż dostał od Pana licencję tylko na wchodzenie mi w szkodę (Hi 1, 12), to przekroczył swoje uprawnienia. Nie tylko piromani

i złodzieje spalili wszystko, co było do spalenia, i ukradli bydło, to jeszcze pozabijali moje sługi. I wreszcie ów szuler z piekła rodem rozpętał wiatr pustynny, który zawalił dom i pogrzebał w nim wszystkie moje dzieci (Hi 1, 13–19), a miałem siedmiu synów i trzy córki! (Hi 1, 2) A Pan nie odebrał mu uprawnień. Mimo to ten Czarny Piotruś nie wygrał, bo nie wyrzekłem się Pana i nie zbluźniłem, przyjmując z pokorą jego wyroki (Hi 1, 20–22).

– Ale szatan nie ustąpił…

– To nie w jego stylu. Znowu złożył wizytę Panu, który wykpił mu niepowodzenie w starciu z takim prawym charakterem jak ja (Hi 2, 3). Ale tym razem ów złowrogi osobnik zechciał podnieść stawkę. Na moje zdrowie się zasadził, pewien, że będę złorzeczył Panu, gdy ciężko zachoruję (Hi 2, 4–6). Wyposażony w odpowiednie kompetencje, łotr obsypał mnie trądem złośliwym, od palców nóg, aż po czubek głowy (Hi 2, 6,7), a gdy się drapałem skorupą, żona moja, prawdziwa Ksantypa, przeszła na stronę szatana, wytykając mi nadmiar wiary, a nawet zachęcając do złorzeczenia Panu i wyzionięcia ducha. Tu już nie zdzierżyłem i musiałem jej nieco naurągać, ale i tym razem Panu się nie sprzeniewierzyłem (Hi 2, 8–10).

– Należało jej się – rzekł z zadowoleniem Józef, wspominając Putyfarową. – Ale chociaż szatan nic tu nie ugrał, to i tak wyszedł na tym lepiej od ciebie, bo on na trąd nie zachorował…

– Byłem tylko królikiem doświadczalnym. Ale jednak Pan docenił moją ofiarność. Uzdrowił mnie i powiększył dom mój i majętność całą – i to jak! Dwukrotnie (Hi 42, 10). Do tych owiec, wielbłądów, wołów, osłów stad nieprzeliczonych musiałem zatrudnić nową służbę i to bez przygotowania zawodowego. Może opłaca się wejść w takie społeczne czy medyczne eksperymenty? No i miałem znowu siedmiu synów i trzy córki (Hi 42, 13).

– Z Ksantypą?!

– Częściowo...

– Ja nie będę wskazywał palcem – powiedział Dawid – ale ktoś tu prowadzi propagandę antywojenną. Jest tu jeden taki... Za nic ma on słowa naszego Pana. A czy nie było poleceniem wkroczenia na wojenną ścieżkę danym przez Pana Mojżeszowi, by jak z wrogiem odszedł się z Madianitami i wyniszczył ich? (Lb 25, 17) Zgodnie z tym, aby im wymierzyć pomstę Pańską, posłał on do walki dwanaście tysięcy zbrojnych, ci zaś wysłali do nieba wszystkich mężczyzn i obcięli łby pięciu królom, spalili wszystkie miasta, zabrali cały dobytek, wzięli w niewolę kobiety i dzieci (Lb 31, 5–11). Chociaż gdy nasi dzielni wojownicy wrócili z masakry, Mojżesz nie był całkiem zadowolony (Lb 31, 14). Bo kobiet i dzieci nie pozabijali, tylko wzięli w niewolę, więc obrzucił przywódców różnymi słowami.

– Jakimi słowami?

– Na przykład – wy tępe, baranie łby, wy krzyżówki szczura i kozy, wy bezmyślne skorupiaki, czy wiatr pustynny wysuszył wasze mózgi? Dlaczego nie pozabijaliście tych kobiet? (Lb 31, 15) Zrobicie to teraz, według takiego scenariusza: spośród dzieci wymordujecie wszystkich chłopców, a spośród kobiet wszystkie te, które miały już okoliczność z mężczyzną. Poznajcie moją dobroć i łaskawość: innych dziewcząt nie zabijecie, lecz pozostawicie na swoją uciechę (Lb 31, 17–18)... Cała zdobycz została bardzo sprawiedliwie podzielona, według instrukcji Pana (Lb 31, 25–30), ale dzięki naszym rachmistrzom, a to czołówka naukowa między Nilem a Tygrysem. Więc obliczyli oni dokładnie, że z 36 tysięcy wołów przypadną Panu 72 sztuki, a z 16 tysięcy dziewcząt, które pozostały przy życiu, Pan otrzyma 32, nie mówiąc już o 675 owcach i 61 osłach (Lb 32, 36–39). Z każdego tysiąca żywych łupów Mojżesz oddał więc kapłanowi Eleazarowi po dwie sztuki na ofiarę dla Pana (Lb 32, 41). Takie proporcje.

– Co to jest? One, te dziewczęta, które… Poszły na poderżnięte gardła?

– Czy bogobojny Żyd zna takie nazywanie? One poszły na ofiarę dla Pana.

– Dziwne tu są rzeczy, których nie objąć mi rozumem – powiedział Jonasz – chociaż w czasie mojego pobytu w brzuchu wieloryba paroma garncami tranu się opiłem, co wspominam z obrzydzeniem. Oto Mojżesz grubym słowem potraktował działania przywódców za to, że kobiety i dzieci zachowali przy życiu… A przecież powiedziano, że należy je zabrać na równi z trzodą i innym łupem i wykorzystać, a tylko mężczyzn wyciąć ostrzem miecza (Pwt 20, 13–14).

– Co prawda, to prawda – powiedział Jozue. – Na szczęście ta sama Księga nakazuje darować życie drzewom obleganych miast (Pwt 20, 19). Ale chociaż tranu nie piłem, to też przypominam sobie, że w drugim roku po wyjściu z Egiptu Pan nakazał Mojżeszowi i Aaronowi obliczenie całego zgromadzenia Izraelitów według szczepów i rodów (Lb 1, 1–3). A potem za to samo postanowił ukarać Dawida, który skręcał się w różne figury, aby się z tego wyplątać.

– Ooo, właśnie – natychmiast wtrącił Dawid – więc jestem niewinny!

– Nie bluźnij! Skoro zostałeś ukarany, to jesteś winny. W starciu z Panem każda wątpliwość działa na twoją niekorzyść.

Nastała chwila ciszy. Zmęczeni biesiadnicy stracili zainteresowanie zawartością dzbanów i mis, niektórzy bębnili palcami po stole, inni przeganiali brzęczące muchy i komary, ktoś rzucił kości kręcącemu się wokół psu; szczekanie całej gromady słychać było z daleka.

– Taak... względem tej wojny... czy ja coś mówiłem? – bronił się niezdarnie Hiob. – Oglądam tylko woły i owce, osły i wielbłądy, nie licząc myszy, szczurów, pluskiew i innego paskudztwa, nie trzymałem w ręku łuku, znam tylko cepy, którymi tłuką moi niewolnicy, aby się nie nudzili. Więc może nie doceniam. Wojna to dobra rzecz. Chodzi tylko o to, aby była z daleka ode mnie. Tak.

– Dziwny przypadek z tymi przykrościami, które spotkały Hioba – rzekł Józef. – Pan rzadko doświadcza obszarników i wszelkich ludzi majętnych, chociaż nie są oni najbardziej bogobojni. Widzę w tym złowrogą pajęczynę utkaną przez szatana, w którą Pan dał się zaplątać.

– To szatańskie machinacje – potwierdził Hiob. – Przez tego wyrzutka doznałem tylu cierpień. Nigdy mu tego nie zapomnę!

– W takim razie może on być spokojny, bo pamięć masz krótką... Czy nie ty mówiłeś, że to Bóg cię pognębił, w swoje sieci cię ujął, pozbawił godności, odebrał nadzieję, za wroga cię poczytał? (Hi 19, 6, 9–11) Jakbyś wołał: ty podciąłeś mi skrzydła, strąciłeś w głąb! Czy to może ktoś inny pytał, prowokacyjnie i oskarżycielsko, dlaczego na świecie panuje gwałt, przemoc, głód, fałsz, a gdy nędza i śmierć biedaków z rąk mordercy zbierają obfite żniwo, to Wszechmocny nie słyszy ich wołania i terminów końca wszelkich nieprawości nie wyznacza? (Hi 24, 1–17)

– Sam widzisz – powiedział Hiob – że nie myślę samolubnie tylko o sobie. A że w czarnych chwilach zdarzyło mi się upaść na duchu... Pan nie miał o to pretensji, skoro przywrócił mi wszystko w dwójnasób. Poczułem

się jak Mojżesz, gdy pokonał pustynię, z którą musiał walczyć przez czterdzieści lat.

– Tak, tak… Wielkim wędrowcem był nasz prorok, przeszedł chyba cały świat: Egipt, pustynię Synaj, ziemie Medianitów, Edomitów, Moabitów, Amorytów, no i morze przeszedł, a nogi nie zamoczył…

– Nie on jeden – uzupełnił Hiob. – Prorok Eliasz tak fachowo śmignął płaszczem w wody Jordanu, że rozstąpiły się przed nim, a on, wraz z Elizeuszem, przeszedł na drugi brzeg (2 Krl 2, 8). A i Elizeusz nie był gorszy. Powtórzył później, gdy już Eliasz został wzięty do nieba na wozie ognistym (2 Krl 2, 11), ten sam model przeprawy, zamiast szukać łodzi czy budować tratwę. Zrobił to płaszczem Eliasza, który spadł z góry w czasie jego odjazdu do nieba (2 Krl 2, 14). To bardzo prosty i wygodny sposób przechodzenia przez rzekę.

– A gdzie jest ten płaszcz?

– U Elizeusza jest. To prywatna własność… Święta własność.

– Elizeusz był wybitnym specjalistą od transportu wodnego – powiedział Daniel – ale przez rzekę można też przejść tak, jak to zrobili kapłani niosący Arkę Przymierza. Kiedy zanurzyli nogi w Jordanie, woda zatrzymała się na znacznej przestrzeni, a Izraelici przeszli suchą nogą na drugą stronę (Joz 3, 15–17).

– To było dobre w czasie wędrówki do Ziemi Obiecanej – rzekł Jonasz. – Teraz, gdy arka jest w świątyni, już jej nie opuści. Płaszcz jest lepszy.

– Arka wszędzie jest niezastąpiona – odezwał się Jozue – a opuszcza jednak świątynię, była przecież z nami podczas oblężenia Jerycha, a i wtedy, gdy Izraelici zostali pobici przez Filistynów pod Eben-Haezer i zginęło ich ok. 4 tysięcy (1 Sm 4, 2). Sprowadzili więc na pomoc Arkę Przymierza i tak się nią radowali krzykiem wielkim, że

Filistyni przelękli się i mówili: „Bóg przybył do obozu" (1 Sm 4, 2–6). A mówili widocznie tak głośno, że słyszano ich w obozie Izraelitów, stąd wiadomo, że wykazali się dobrą znajomością ich dziejów, a i rozpoznali, że są to ci sami bogowie, którzy zesłali na Egipt wszelakie plagi, i dramatycznie wołali: Kto nas wybawi z mocy tych potężnych bogów? (1 Sm 4, 8). Bóg pojedynczy, czuwający nad wszystkim, nie mieścił się bowiem w ich prostackiej, plemiennej wyobraźni... W strachu zaczęli więc jęczeć i lamentować: *«Biada, ach biada nam, Filistynom, wkrótce będziemy sępów padliną... te nam wydziobią serca i oczy, bo któż żydowskim bogom podskoczy?»*. Mimo to – mówił Jozue – przełamali się, podnieśli z depresji i zmobilizowali do walki z Izraelitami, a nawet ich pobili i trzydzieści tysięcy ubili... (1 Sm 4, 9–10), zaś arkę świętokradczo uprowadzili do Aszdodu, gdzie ustawili ją w świątyni swego bożka Dagona (1 Sm 5, 1–2). I tu dopiero arka ukazała swoją moc, dwukrotnie powalając posąg owego bałwana na ziemię (1 Sm 5, 3–4). A przenoszona z miasta do miasta, zaznaczała swą obecność śmiercią ludzi i wywoływaniem guzów na ciele, więc postanowiono odesłać ją Izraelitom (1 Sm 5, 8–13). Dwie krowy mleczne, zaprzężone do wozu, rycząc i idąc prosto do Bet-Szemesz, dzielnie i samodzielnie wywiązały się z tego zadania (1 Sm 6, 10–12), co im się zresztą nie opłaciło, bo uradowani Żydzi przeznaczyli je na ofiarę całopalną dla Pana (1 Sm 6, 14).

– Dobrze się postawiła arka Filistynom – powiedział Samson – tylko nie pojmuję, dlaczego pozwoliła się uprowadzić i dlaczego nie uchroniła Izraelitów przed klęską w bitwie, skoro w tym celu była sprowadzona. No, ale taki osiłek jak ja nie musi wszystkiego rozumieć...

Rozmowa nagle ucichła, ktoś przeciągnął się i ziewnął, ktoś inny zabębnił palcami po stole.

– Elizeusz herbu Dwa Niedźwiedzie – odezwał się bez sensu po chwili ciszy Jonasz – zmarłego chłopca, syna Szunemitki, przywrócił do życia (2 Krl 4, 32–35).

– Ooo! – ożywił się Hiob. – On potrafił nawet tak zaczarować siekierę, która wpadła do Jordanu, że sama na wierzch wypłynęła! (2 Krl 6, 5–6)

– I uwolnił od trądu dzielnego wojownika Naamana (2 Krl 5, 1, 10, 16).

– Miał też wielkie wpływy u Pana. To dzięki jego modlitwie Pan dotknął ślepotą oddział Aramejczyków, których przez to prorok mógł wziąć do niewoli, zaprowadzić do Samarii, gdzie – znów na jego prośbę – nie tylko Pan otworzył im oczy, ale i król izraelski, który chciał ich zabić, nakarmił i uwolnił (2 Krl 6, 20–23).

– To po co brał ich do niewoli?

– Chciał pewnie pokazać im swoje medyczne umiejętności, a może tak, na wszelki wypadek. Nigdy nie wiadomo, co się może przydać.

– Czasem jednak prorok we własnej sprawie posługiwał się imieniem Pańskim. Kiedy tłum łobuziaków wyzwał go od łysej pały, on im się odpłacił przekleństwem w imię Pana, na co dwa niedźwiedzie wypadły z lasu i rozerwały czterdziestu dwu z nich (2 Krl 2, 23–24). Jak wam się to podoba?

– Dwa niedźwiedzie, których Elizeusz zresztą nie wzywał… skąd się wzięły?

– To podpada pod niedowiarstwo. Gdy pada klątwa, wszystko jest możliwe!

– Bracia, patrzcie jeno… – wyszeptał zduszonym głosem Hiob – straszna jest klątwy moc. Kiedy jeden kosmaty zagryzał pierwszego chłopca, a jego kompan rozszarpywał drugiego, to następni, a czterdziestu ich było, mieli dość czasu, aby ratować się ucieczką. Ale oni, pod wpływem klątwy będąc, stali bez ruchu w miejscu i czekali na swoją kolejkę do zagryzienia. Tak, tak... Nigdy nie wyśmiewajmy się z proroka.

– Zwłaszcza blisko lasu... Ale chyba nie zawsze niedźwiedzie będą pod ręką!

– Mogą być lwy, hieny, wilki. Nic ich nie powstrzyma przed wykonaniem klątwy!

– Elizeusz – powiedział Jozue – nawet po śmierci dokonywał rzeczy nadzwyczajnych. Zdarzyło się, że grzebiący jakiegoś człowieka ludzie na widok obcej bandy wrzucili go do grobu Elizeusza i uciekli. Człowiek ten dotknął kości Elizeusza, ożył i stanął na nogi (2 Krl 13, 20–21). Oby Pan zesłał nam więcej takich mężów bożych!

– Eliasz był takim mężem bożym. Jeszcze raz pokazał to, wypominając Achabowi jego niecne sprawki, zaprzaństwo wobec Pana i suszę, którą go Pan ukarał, żądając, aby zgromadził kapłanów Baala celem ustalenia, czyj bóg jest prawdziwy i mocniejszy. To było widowisko dla całego Izraela na górze Karmel. Czterystu pięćdziesięciu kapłanów Baala wzywało swego bożka, aby zesłał ogień dla usmażenia cielaka, ale na próżno, chociaż nie było to trudne, bo nieszczęsna ofiara została oprawiona i porąbana. Baal okazał się jednak słabym podpalaczem, toteż cielec jego kapłanów pozostał w stanie surowym, w przeciwieństwie do cielęcinki Eliasza, na którego wołania Pan odpowiedział zesłaniem ognia, by pochłonął żertwę (1 Krl 18, 20–38). Ten niefart sporo kosztował kapłanów Baala, bo wszystkich kazał Eliasz wytracić nad potokiem Kiszon (1 Krl 18, 40). A lud, który ujrzał porażkę bałwochwalców, padł na twarz i zawołał odkrywczo: Naprawdę Pan jest Bogiem! Naprawdę Pan jest Bogiem! (1 Krl 18, 39) Dotychczas o tym nie wiedzieliśmy... A Pan jeszcze raz upewnił ich o tym, zsyłając ulewę po dwóch latach suszy (1 Krl 18, 45).

– Należała się Achabowi ta susza, bo czcił obcych bogów, w czym przewyższył swoich poprzedników, budował im przybytki na wyżynach, wziął za żonę Izebel, córkę króla Sydonu, więc zaczął służyć Baalowi, bożkowi przebrzydłemu, i więcej złego uczynił, niż wszyscy królowie, którzy przed nim byli (1 Krl 16, 30–33). A Izebel, dowiedziawszy się od Achaba, co uczynił Eliasz z jej ulubionymi kapłanami, obiecała mu przez posłańca pewne zakończenie życia, co skłoniło go do pospiesznej ucieczki przed zemstą, a niezbyt dobrze świadczyło o jej przenikliwości i odwetowych talentach. Ale Eliasz stracił już równowagę ducha i pewność, z jaką wyśmiewał nieudolność Baalowych podpalaczy cielęciny, więc gdy na górze Horeb spotkał Pana, użalał się na niewiernych Izraelitów, którzy nie tylko naruszali Przymierze, ale i dybali na jego życie (1 Krl 19, 8–10). Nawet prorocy mają chwile słabości.

– Każdy ma ciężkie chwile – powiedział Daniel. – Ja z Nabuchodonozorem też miałem różne przepychanki, chociaż chwilami myślę, że poczciwe było królisko...

– Zwłaszcza że mianował cię dygnitarzem, gubernatorem czy ministrem administracji całej Babilonii (Dn 2, 48).

– Zasłużyłem. Odgadłem nie tylko znaczenie, ale i sen Nabuchodonozora o wielkim i strasznym posągu, którego głowa była ze złota, pierś ze srebra, brzuch i biodra z miedzi, golenie z żelaza, a stopy z żelaza i gliny. Ale spadł kamień, skruszył ów posąg i zamienił w pył, który rozniósł wiatr (Dn 2, 32–35). A to oznaczało, że król jest tą głową ze złota, ale po nim nastąpią inne królestwa, miedziane, gliniane, blaszane i zardzewiałe, a dopiero po nich Bóg nieba wzbudzi królestwo, które będzie wieczne i nigdy nie upadnie, zniweczy wszystkie inne królestwa (Dn 2, 37–45). Dodałem, że jest to tak pewne, jak i to, że król ten będzie żył wiecznie, a nawet jeszcze dłużej i nikt mu w tym nie dorówna, a inni królowie będą przy nim jak karłowate pokraki... Trzeba było widzieć, jak na te słowa król grzmotnął przede mną na twarz i oddał mi pokłon, nakazując złożyć mi dary i wonne kadzidła (Dn 2, 46). Nie tylko więc zrobiłem to, czego nie potrafiła silna grupa jego najtęższych fachowców w branży – wróżbitów, szamanów, czarowników, astrologów (Dn 2, 10–12), ale uratowałem im życie, bo król obiecał im rozerwanie w kawałki (Dn 2, 5), a oprawcy Arioka już przebierali nogami z uciechy na tortury (Dn 2, 14). A jednak nie przyjąłem godności zarządcy prowincji, oddając ją za zgodą króla moim towarzyszom niedoli: Szadrakowi, Meszakowi i Abed--Negowi (Dn 2, 49).

– Nie cieszyli się zbyt długo...

– Bo spodobało się królowi wznieść złoty posąg, wyższy niż dziesięciu Goliatów (Dn 3, 1), któremu kazał oddawać cześć na urzędowy dźwięk rogów, fletów, lutni i innych instrumentów, a każdy odporny na rozkaz i wspaniałość posągu, nawet jeśli był głuchy, miał natychmiast zapewniony transport do rozpalonego pieca (Dn 3, 6). Zaraz też tacy, którzy ryli pod nowymi zwierzchnikami, donieśli, że ci jak najbardziej kwalifikują się do podpałki, bo kpią sobie z króla i złotego bożka i nie oddają mu czci (Dn 3, 12). Ale Szadrak, Meszak i Abed-Nego byli twardzi i nieustępliwi. «– Królu – powiedzieli – wraz z ważnymi stanowiskami otrzymaliśmy nowe ubrania służbowe. Nie chcemy ich sobie zakurzyć i ubrudzić padaniem na twarz przed posągiem, więc nie oddamy mu pokłonu (Dn 3, 17–18). Że już nie wspomnimy o czci dla naszego Boga, którego się nie wyrzekniemy!». «– Z pewnością nie zakurzycie ich i nie ubrudzicie – rzekł król o trudnym imieniu – bo

razem z ubraniem i butami zostaniecie spaleni w piecu. Do ognia!». I wydał rozkaz, by rozpalono piec siedem razy więcej niż było trzeba, a trzech owych mężów związać i wrzucić do ognia (Dn 3, 19–20). Ale ci, którzy mieli rozkaz wykonać, okazali się ludźmi małego ducha. «– Królu – powiedzieli rozpalacze – obyś żył wiecznie, bogowie sprzyjali twoim urodzajom i podbojom, a przenikliwość oczu twojej duszy była stukrotnie większa niż sokołów stepowych. My, twoje wyschnięte robaczywki, nie znamy się na tym, słyszeliśmy tylko o nieubłaganych prawach fizyki, więc, czy jest możliwe, aby rozpalić coś siedmiokrotnie mocniej, niż normalnie?» «– W moim królestwie – powiedział twardo władca – to ja ustanawiam prawa, a nie jakaś Fizyka, w dodatku kobieta! Rozpalić, albo sami wskakujcie do pieca!». «–My tylko tak…» – spłaszczyli się natychmiast rozpalacze, rozpalili piec, dmuchając i machając wszystkim, co było w zasięgu ręki, wreszcie mamrocząc coś o trudnościach w obliczeniu, czy rozpalono sześciokrotnie czy siedmiokrotnie mocniej niż zazwyczaj, wskoczyli i „…płomień ognia zabił tych mężów…" (Dn 3, 22).

Tak oto trzej zuchwalcy znaleźli się w czeluści pieca, ale zamiast płonąć jak pochodnie, zaczęli chodzić i śpiewać hymn do Pana. Najpierw solo śpiewał Abed-Nego (Dn 3, 25–45), a potem cały tercet (Dn 3, 52–90). Ach, jak oni śpiewali! Ta żarliwość, te aksamitne głosy! Tłumy gapiów obserwowały i słuchały ich tyleż z przyjemnością, co zazdrością. A oni śpiewali, wychwalając Pana, jego dzieła, wielkość i łaskawość, a pieśń, wraz z ogniowymi efektami, niosła się daleko, ponad dachami miasta…

– Ja do takiego pieca nie włożyłbym nawet palca – mówił Jonasz. – Wrażliwy jestem. Jak oni w nim wytrzymali?

– Taki piec – mówił Daniel – opalany głównie drewnem, nie osiąga więcej niż trzysta stopni Celsjusza. Da się wytrzymać. Co innego, gdyby dosypać węgla czy koksu, ale skąd je brać w naszej epoce? Podobno zastosowano tam ropę naftową (Dn 3, 46), ale nie ma to znaczenia, bo anioł wstąpił do pieca (Dn 3, 25) i osłonił ich skrzydłami od ognia. Tak było.

– A mnie – powiedział Samson – coś tu się nie podoba. Co to za piec aż na trzech ludzi i anioła? To jakieś krematorium! Niełatwo takie zbudować, rozpalić i nagrzać. Tam musiało być znacznie chłodniej, zwłaszcza jeśli anioł robił skrzydłami wentylację.

– Nie znam się na termoobiegu i wentylacji – rzekł Daniel. – Z tym czy bez tego dookoła nas pełno jest cudowności, choćby na dworze króla Baltazara. Król ucztował z tysiącem swoich dworaków, dostojników, żon i nałożnic (Dn 5, 1; 4). Wino, złote kielichy i naczynia, tańce, hulanki, swawola. A wtedy jakaś ręka zaczęła pisać dziwne słowa na ścianie...

– Czyja ręka?

– Obca i tajemnicza, chociaż nie wiadomo – lewa czy prawa. Król, który tak się przeraził, że kolana zaczęły mu klekotać ze strachu (Dn 5, 6) jak kastaniety, zażądał, aby wszyscy, nawet analfabeci, podnieśli ręce w górę, na dowód, że to nie oni piszą te kulfony. Sprowadzono sztab mędrców i wróżbitów babilońskich, którym król obiecał sute profity za odczytanie napisu, ale na próżno (Dn 5, 7–8). Mędrcy po naradzie ustalili, że napis jest zapewne w języku plemion ludożerców znad Okawango, którego oni nie znają. I zgadnijcie, kogo wtedy wezwano na pomoc?

– Chyba nie zgadniemy...

– Mnie. Kiedy przyszedłem, tajemnicza ręka już zniknęła, ale pozostał napis: „Mane, tekel, fares".

Oświadczyłem królowi, że ową rękę posłał mój Bóg, jako ostrzeżenie z powodu licznych grzechów i błędów Nabuchodonozora, i wygarnąłem mu, że on, jego syn, bynajmniej się od nich nie odciął, dokładając jeszcze własne gałgaństwa (Dn 5, 18–24). Zaś słowa „Mane, tekel, fares" oznaczają po prostu „Primus inter pares", ale król nie był zadowolony. «– Co to znaczy? – zapytał gniewnie.» «– Królu – powiedziałem wiedząc, że król Baltazar łaciny jeszcze nie opanował – to oznacza kalendarz, wagę i miecz. Czyli – nadchodzi kres twego panowania, zważono twoje zasługi i okazały się zbyt lekkie wobec ciężaru grzechów i win, i twoje królestwo zostanie podzielone (Dn 5, 25–28). Nieubłagane są wyroki niebios…». Spodziewałem się po tym wyrwania języka albo wybicia zębów, chociaż jako mąż mający w sobie ducha i świętość bogów, co zadeklarowała królowa (Dn 5, 10–11), nie mogłem postąpić inaczej. Tymczasem otrzymałem purpurowy płaszcz, złoty łańcuch na szyję i zostałem mianowany trzecią osobą w państwie… (Dn 5, 29) O bwana kubwa! Ale wszystko się sprawdziło. Jeszcze tej samej nocy król Baltazar został zabity (Dn 5, 30), chociaż służby pałacowe nie wykryły, kto wymierzył mu sprawiedliwość, a może to one same stały się narzędziem Pana…

– Dobrze jest kręcić się na dworze króla – powiedział Jefte – odczytać jakieś hieroglify, przepowiedzieć przyszłość, odgadnąć sen, a jeszcze mieć anioła do pomocy… Można pożyć!

– Spróbuj, skoro to takie łatwe – odrzekł Daniel. – Trzeba mieć dar od Pana, doświadczenie, wyczucie, zastosować odpowiednie środki i metody… Gdy skazano na śmierć Zuzannę, z oskarżenia dwóch podstarzałych lowelasów o wiarołomstwo i zdradę (Dn 13, 41), od razu poczułem, że ci krętacze coś zełgali. Jak wiecie, nasze

postępowe prawo nie zna litości, za takie coś grozi topo-
rek, pętelka albo kamieniograd, chociaż nie wiem, czy
do wyboru (Pwt 22, 22). Oczywiście te dwa łobuzy, które
niby coś tam widziały w ogrodzie Zuzanny, nie przyzna-
ły by się do fałszywego świadectwa, więc postanowiłem
wziąć ich w krzyżowy ogień pytań. A nie było czasu,
bo sprawiedliwość mamy nadzwyczaj rychliwą, i kilku
pachołków już ją prowadziło na stracenie… (Dn 13, 45).

– To musiało być okropne… znaczy, te pytania –
wzdrygnął się Hiob, któremu krzyż i ogień natychmiast
skojarzyły się z jego specjalnością – cierpieniem.

– O, bynajmniej! – rzekł Daniel. – Wszystko odbyło
się zgodnie z prawem; żadnych tortur, pełna jawność,
świadkowie, prawa oskarżonych i takie tam. Tylko
obrońców nie było, ale wiadomo, że to jeszcze nie ta
epoka…

– No więc czym ich przygwoździłeś?

– Zaskoczyłem tych spryciarzy pytaniami, których się
nie spodziewali, chociaż byli sędziami. Na przykład – co
jest lepsze: dżuma czy ospa? Jak bazyliszek robi skręt
kiszek? Czy Noe umiał pływać? Do kogo pije Kuba? Po
czym poznać głupiego? Komu diabeł dzieci kołysze?
Jaka jest różnica między wróblem a rublem? Gdzie jest
pies pogrzebany? Komu bije dzwon? Czym się różni
jurta od wigwamu? Co jest większe? Kiedy kuć żelazo?
Na kogo przyszła kryska? Jakiż to chłopiec piękny i młody, jakaż to obok dziewica? Czy te oczy mogą kłamać?
Gdzie tańcowali zbójnicy? Na co kosa trafiła? Ile jest
ziaren w burzy piaskowej? Co zamienił stryjek? Kto się
śmieje naprawdę? Komu w drogę? Dokąd lecą żurawie?
Kiedy ranne wstają zorze? Kto co, kogo czego? Na ilu
rozbójników przypadał jeden Alibaba? Co drąży skałę?
Ile szczebli miała drabina do nieba, która przyśniła
się Jakubowi? Gdzie przybyli ułani? Czego się chwyta

tonący? Komu wiatr w oczy? Czy rak chodzi przodem w tył, czy tyłem w przód? Jak wyginęły dinozaury? Co jest wrogiem dobrego? Ile pszczoła ma nóg? Z czego bicza nie ukręcisz? Gdzie kują kozy? Co w trawie piszczy? Kto sieje wiatr? Co jest dobre na frasunek? Kto kogo zabił: Kain Abla czy Abla Kain? Dlaczego król Midas miał ośle uszy? Kiedy wychodzi szydło z worka? Gdzie mieszka królewna Śnieżka? Co było później: jajko czy kura? Kto pod kim dołki kopie? Na co nie ma lekarstwa? Góralu, czy ci nie żal? Co słychać? Gdzie się dwóch bije? Jaka woda brzegi rwie? Kto kupuje kota w worku? Co ma piernik do wiatraka? Dlaczego ogórek nie śpiewa? Jaką lampę miał Aladyn? Ile demonów mieści się na końcu szpilki? Kto jest kuty na cztery nogi? Jak daleko stąd donikąd? Komu świeczkę, komu ogarek? Co jadają krasnoludki? Gdzie zebrał się ferajny kwiat? Co mówiły jaskółki? Kto śmieszy, tumani, przestrasza? Kiedy skończyła się epoka lodowcowa? I tak dalej... Nic dziwnego – mówił dalej Daniel – że gdy w końcu strzeliłem im prosto w oczy pytaniem: pod jakim drzewem Zuzanna uprawiała swoje miłosne praktyki (Dn 13, 54, 58), jeden ogłupiały wyjąkał: „W parku pod platanem, pani siadła z panem...", a drugi, że nuciła coś jakby... „pewnie mnie czeka mój Filon miły, pod umówionym jaworem...". Jawor to nie platan, więc już ich miałem. Próbowali się jeszcze wykręcać, że niby nie znają się na botanice, ale nie ze mną te numery. Za fałszywe oskarżenie poszli pod topór, według nakazów prawa (Pwt 19, 16–19). Policyjne dochodzenie wykazało, że sami chcieli poigrać z piękną Zuzanną i mścili się za to, że narobiła krzyku i musieli obejść się smakiem.

– Byli jednak mało rozgarnięci – zawołał Jonasz. – Gdyby obaj powiedzieli, że mieli ciekawsze widoki do obserwacji niż drzewa, to mógłbyś im skoczyć!

– Dlatego musiałem ich ogłuszyć pytaniami jak rzeźnik świnię siekierą. No i padli!

– Ja tam – oświadczył twardo Samson – przywaliłbym im zwyczajnie oślą szczęką, aż by im gnaty popękały, i zaraz wyśpiewaliby wszystko... Pamiętacie chyba, jak tą resztówką padłego porykiwacza i hałaśliwca wybiłem cały oddział Filistynów, a było tam tysiąc chłopa! (Sdz 15, 15)

– Wiemy, wiemy – rozległ się chóralny szmer podziwu biesiadników – ale to oślisko musiało mieć wyjątkowo twardy łeb, a i rzadko kiedy jest pod ręką ośla szczęka...

– I nie potrzeba. Kiedy szedłem do Timny, młody lew zastąpił mi drogę, a ja rozdarłem zwierza jak królika, chociaż nie miałem nic w ręku (Sdz 14, 5–6). Można!

– Też robiłem podobne rzeczy – pochwalił się Dawid – kiedy pasałem owce, a napadł je lew albo niedźwiedź, wyrywałem je z ich paszczęki, a nawet kładłem trupem te zębate bestie (1 Sm 17, 34–35). A byłem jeszcze małolatem!

– Gdy odwiedziłem w Gazie pewną wesołą panienkę – nie ustępował Samson – mieszkańcy czekali całą noc przy miejskiej bramie, aby mnie zabić, nie lubili mnie czy co... Ale ja wyrwałem bramę z zawiasami i zaniosłem na szczyt góry naprzeciw Hebronu! (Sdz 16, 1–3)

– Gdybym wyrwał taką bramę – powiedział Dawid – to rzuciłbym ją na łeb tym, którzy chcieli mnie przy niej upolować, a nie dźwigałbym na jakiś Ararat czy inny pagórek... Po co?

– Jak się zastanowić – przyznał Samson – to może rzeczywiście...

– Zaprzańcy! – oświadczył Hiob. – Gamonie i zaprzańcy!

– Niby kto?! – oburzył się Daniel.

– Tylko ja jestem taki bystry? A któżby, jak nie cała rodzinka Zuzanny? Joakim, ten jej mąż, tatuś Chilkiasz, mamusia, krewni... Byli tam przecież cały czas i nie odezwali się ani słowem, nie bronili jej, nie protestowali. Dopiero gdy okazała się niewinność Zuzanny, lew w nich wstąpił, nabrali odwagi i zaczęli wychwalać Boga za to, że nie znaleziono w niej nic hańbiącego! (Dn 13, 63)

– Aaa... – zdumiał się Jonasz – na szczęście dla Joakima, Zuzanna nie mogła mu napisać listu rozwodowego, bo niby dlaczego kobieta miałaby mieć takie prawo? Co innego każdy mężczyzna, który jeśli znajdzie w żonie coś odrażającego, może jej taki list napisać i odesłać do domu czy na zieloną trawkę (Pwt 24, 1). Bardzo to pięknie w swej mądrości postanowili nasi prawodawcy!

– Dobrze, dobrze – wtrącił Jozue – i co z tym śledztwem Daniela? Po co było to wszystko? A wizja lokalna? Wystarczyło obydwu tych obleśniaków zmusić do pokazania miejsca spotkania Zuzanny z kochasiem. Oddzielnie, ma się rozumieć, a sprawa by się rypła. Bo chyba nie uzgodnili między sobą, gdzie to jej spotkanie się odbyło!

– No... tego...– wymamrotał zaskoczony Daniel – znaczy... najważniejsze, że moja metoda okazała się skuteczna. Krótki przewód, szast-prast i po wszystkim. Sprawiedliwość zatriumfowała, oko za oko, ząb za ząb, jak mówi Pismo (Pwt 19, 21).

– Zuzanna, ach Zuzanna
    To cudna panna...

– zaintonował fałszywie Samson, przechylając garniec z piwem, które zaczęło mu ściekać po brodzie i szyi. Za nim – kuflami i rechotliwym śpiewem – poszli inni.

– Upaja nasze oczy
    I zmysły mroczy
    Kto poznał cię, Zuzanno
    Ten tobą jest pijany
    Szczęśliwy ten wybrany
    Kto zdobył cię...

Nastała cisza.

Wokół dogasającego ogniska krążyły z trzepotem skrzydeł ćmy, w pobliskich krzakach trzeszczały świerszcze, cykały cykady i donośnym rechotem nawoływały się żaby, wśród gałęzi nocne ptaki przelatywały w pogoni za ofiarami, a leśne mary, demony i upiory hałaśliwymi, echem powtarzanymi przytłumionymi pohukiwaniami i gwizdami, pomrukami i wrzaskami przypominały o swojej groźnej i przerażającej obecności... Duch wiatru bawił się w liściach słabym szelestem, i gwiazdy mrugały na ciemnej kopule niebieskiego firmamentu i srebrzysty dysk księżyca błyszczał tuż ponad ścianą lasu. Przy ognisku niektórzy przysypiali i pochrapywali.

– Powiadają – rozległ się czyjś senny głos – że z tym zatrzymaniem Słońca to oszustwo albo i czary... Może dałoby się zatrzymać Księżyc, dopóki jest mały, ale Słońce?

– I że z tym morskim potworem to też jakieś szachrajstwo – dodał inny. – Może jeden dzień by się przeżyło, ale trzy dni w brzuchu ryby? Ani tam wypić, ani zjeść. I jak wyjść? Taki potwór miałby kogoś wypuścić?

– A tych trzech krętaczy na wielbłądach – powiedział ktoś, ziewając – podobno wymyślił jakiś bajarz ludowy. Sporo wtedy wypił, zagryzł zielskiem czy grzybkami i zaczął widzieć podwójnie, a nawet potrójnie! *Przybieżeli do Betlejem pasterze / Ale ja w ich opowieści nie...* – urwał chrapliwie.

– Goliat, ten olbrzym – mamrotał inny – to coś bardzo podobny do posągu ze snu Nabuchrr... hrr... hrr... Ogromny, błyszczący i straszny...

– A wiecie – otrząsnął się Daniel – że kiedy Mojżesz jako uciekinier przebywał u Madianitów, Pan kazał mu bez obawy wracać do Egiptu, jako że pomarli już ci, którzy czyhali na jego życie (Wj 4, 19). A dokładnie tak samo mówił we śnie anioł do Józefa o śmierci Heroda (Mt 2, 19–20). Tyle że miał wracać z Egiptu do Izraela. Przypadki, sny, cudowne zdarzenia – to wszystko mamy na co dzień. Tak, tak…

I znowu nastała cisza.

– A jesteście pewni – usłyszano czyjś głos – że my wszyscy w ogóle istniejemy? Dobranoc, chłopaki!

SODOMA
I GOMORA

Podejmowanie problematyki zagłady Sodomy i Gomory, którą zajmowały się całe pokolenia naukowców, badaczy, archeologów, i która była inspiracją także dla artystów, wydaje się – i jest – ryzykowne. Bez nowych odkryć w miejscu przypuszczalnej katastrofy niewiele nowego da się powiedzieć. Do tysięcy napisanych słów można dołożyć najwyżej jedną literę. Ale jeśli będzie ona czytelna, to może warto spróbować…

Z pierwszą szerszą wiadomością o Sodomie i Gomorze – od razu negatywną – spotykamy się przy opisie rozejścia się Abrama i jego bratanka Lota, co było związane z wyborem terenów do wypasu stad ich bydła. Lot wybrał wtedy dolinę Jordanu w kierunku Sodomy, której mieszkańcy „byli źli, gdyż dopuszczali się ciężkich przewinień wobec Pana" (Rdz 13, 13). Lotowi wcale to jednak nie przeszkadzało, skoro rozbił swe namioty aż do granic miasta (Rdz 13, 12), a owi „źli" go nie przepędzili! Przez dłuższy czas więc Lot pomnażał w spokoju swój czworonożny dobytek – niestety, stało się tak, że koalicja „króla" Elamu z kilkoma innymi napadła na „złych królów" Sodomy, Gomory oraz Admy, Seboru i Soaru, zmuszając ich jako lenników do płacenia trybutu, na czym interesy Lota z pewnością również ucierpiały. Przez 12 lat podbite ludy płaciły swą daninę, planując zemstę, by wreszcie chwycić za broń. Na nic to się zdało – władcy Elamu, Goim, Szinearu i Ellasaru pobili na głowę buntowników, którzy uciekli, a częściowo schronili się w górach (Rdz 14, 10). Zwycięzcy zrabowali cały dobytek mieszkańcom Sodomy i Gomory (Rdz 14, 1) i odeszli, nie dokonując zwyczajowej masakry. Zabrali również cały dobytek Lota i uprowadzili jego samego (Rdz 14, 12), chociaż nie wiadomo, do czego był im potrzebny. A jednak to nie napastników i grabieżców określono w Piśmie jako „złych" i winnych „ciężkich przewinień wobec Pana"!

W tym miejscu na placu wydarzeń pojawia się znowu wuj Lota. Jeszcze jako protegowany Pana, ale przed awansem na „Ojca Narodów" – a zatem jako zwyczajny Abram – zorganizował on wojenną wyprawę przeciwko czterem władcom i przy pomocy armii swoich sług pokonał ich, przywrócił panowanie prawowitym władcom Sodomy i Gomory, a także uwolnił Lota (Rdz 14, 14–16). Znamienne, że wśród powszechnej w zapisach biblijnych kronikarskiej przesady o wielkości, potędze władców, ich bogactwie i niezmierzonych zastępach wojowników – po raz pierwszy i jedyny, jakby mimo woli – kampanię wojenną Abrama sprowadzono do właściwych rozmiarów. Wystarczyło bowiem, że ów waleczny mąż dobrał sobie 318 „najbardziej doświadczonych" sług swego domu, by rozbić i pokonać koalicję, z którą nie mogli sobie poradzić władcy pięciu miast!

Dlaczego właściwie Abram postanowił przyjść z pomocą znanym z ciężkich przewinień ludziom i ich królom? Był już wtedy w szczególny sposób wyróżniony przez Pana błogosławieństwem i zapowiedzią uczynienia z niego protoplasty całego narodu (Rdz 12, 2–3), a także hojnie obdarowany ziemiami Kanaanu – jak daleko zdołałby sięgnąć i objąć je wzrokiem (Rdz 12, 7; 13, 14–15). Opowiedzenie się po stronie niemiłych Panu – ze względu na swe uczynki – dwóch miast, byłoby wielce ryzykowne i zagrażające degradacją do pozycji zwyczajnego poganiacza trzód. A jednak Abram podjął się tego zadania! Czy chęć uwolnienia Lota z niewoli była wystarczającym motywem? Bądź co bądź, Lot przy rozstaniu i podziale przyszłych obszarów do wypasu bydła wybrał tereny najbardziej urodzajne (Rdz 13, 10–11). Ale Abram, na mocy wspomnianej już osobistej darowizny dekretem Pana, z czego Lot został wyłączony, poczuł się już tak majętnym obszarnikiem, że ów incydent mógł Lotowi zapomnieć. Zwłaszcza że reguły wyboru sam wtedy zaproponował. A może zwyczajnie zrozumiał, że jego interesy przemawiają za przepędzeniem czterech królów? Ale też od czasów gdy Abram bez oporów oddawał swą żonę Saraj faraonowi w zamian za bydło i niewolników (Rdz 12, 16), wiele się zmieniło. Rozwój późniejszych wypadków wskazuje, że przeszedł on znaczącą przemianę duchową, nie bez powodu stając się jednym z patriarchów Izraela.

W czasie wspomnianych wojennych potyczek i łupieskich wypraw Abram być może uznał po prostu, że słuszność jest po stronie Sodomy i Gomory? Bo jak dotychczas żaden fakt nie potwierdza tezy o niemoralnych, „złych czynach" i skłonnościach ich mieszkańców. Co więcej, wdzięczny za ratunek „król" Sodomy gotów był oddać Abramowi swoje mienie (Rdz 14, 21) – choć właściwie po rabunku dokonanym przez czterech zwycięskich królów nie miał już czego oddawać. Jeśli jednak Abram istotnie odebrał owo mienie (Rdz 14, 16), to wzniósł się na wyżyny, wykazując odporność na dobra materialne i rezygnując z wszelkich darów, z wyjątkiem kosztów wyżywienia swoich ludzi i części zdobytych na wrogach dóbr, dla trzech, „którzy mu towarzyszyli" w walce (Rdz 14, 24).

Od tych wydarzeń minęło sporo czasu. Nie wiadomo, za jakie zasługi – chyba że za takie uznamy zwycięskie potyczki z czterema agresorami – Abram rósł w siłę i zyskiwał na znaczeniu w oczach Pana. Najpierw otrzymał obietnicę potomstwa tak licznego jak gwiazdy na niebie (Rdz 15, 5), a ziemie „od Rzeki Egipskiej, aż do rzeki wielkiej, rzeki Eufrat" wraz z mieszkającymi tam plemionami miały stać się własnością tego potomstwa

(Rdz 15, 18–21). Wprawdzie zapowiedź czekającej ich 400-letniej niewoli w ziemi egipskiej (Rdz 15, 13) mogła chwilowo pozbawić Abrama nadmiernego optymizmu i przekonania o prostej drodze do sukcesu – ale czymże to było wobec faktu, że niewolnica Hagar urodziła mu syna Izmaela (Rdz 16, 15), a przede wszystkim tego, że Pan, który mu się objawił, potraktował go niemal jak równego sobie, proponując przymierze i ponawiając obietnicę niezmiernie licznego potomstwa (Rdz 17, 2). Pan wywyższył go też ponad wszystkich innych, mianując „ojcem mnóstwa narodów" (Rdz 17, 4), od którego pochodzić będą królowie (Rdz 17, 6); w związku z czym Abram miał odtąd nosić bardziej dostojne imię Abraham (Rdz 17, 5). Wobec tak licznych łask i awansu ponad wszelką miarę nie byłoby niczym dziwnym, gdyby Abraham doszedł do wniosku, że dotychczas sam siebie nie doceniał; on jednak pozostał skromny i posłuszny, czego dowodem jest gotowość złożenia w ofierze syna Izaaka, którego urodziła mu żona Sara – gdy Pan chciał go w ten sposób wystawić na próbę (Rdz 22, 1–10). Dziwić może jedynie, że – jak zapowiedział Pan – przymierze między nim a potomkami Abrahama ma polegać na tym, iż wszyscy mężczyźni mają być obrzezani (Rdz 17, 10). W ten sposób zdefiniowane przymierze wydaje się być nieco mało ambitne; wszystko jednak na miarę epoki...

Uwolnione od agresywnych sąsiadów w wyniku klęski zadanej im przez Abrama miasta Sodoma i Gomora nie pozbyły się jednak ciążącego na nich piętna. To w zasadzie z ich powodu odbywa się swego rodzaju narada polityczna, kiedy „Pan ukazał się Abrahamowi pod dębami Mamre" (Rdz 18, 1), w towarzystwie dwóch aniołów. Następuje rytualne w ówczesnych warunkach mycie nóg przez przybyszów (jak zwyczajnych, fizycznych osób!) i gościnny, dość wystawny poczęstunek złożony z podpłomyka, twarogu i mleka, a przede wszystkim z pieczeni specjalnie przyrządzonego tłustego cielaka. Musiało to trwać dłuższy czas, ale goście dysponowali nim w nadmiarze. Scena zaiste sielankowa... Ale wizyta Pana ma w sobie coś z misji wędrownego szeryfa i sędziego, przemierzającego różne obszary w celu wymierzenia sprawiedliwości – w tym przypadku wobec Sodomy i Gomory. Pan jest trapiony wątpliwościami, czy powinien podzielić się z Abrahamem swymi planami (Rdz 18, 17), jednak z uwagi na rangę, jaką mu już uprzednio nadał, uznaje to za wskazane. Owe plany są jednak mało skonkretyzowane, a kierunek działań niepewny, Bóg ujawnia tylko, że chodzi o „ciężkie występki" mieszkańców tych miast, na które rozlegają się skargi. „Chcę więc zstąpić i zobaczyć, czy postępują tak, jak głosi oskarżenie [...], czy nie; dowiem się" (Rdz 18, 21). O żadnej karze nie ma tu jeszcze mowy. Ale – o dziwo – sprawę tę wywołuje jakby mimowolnie właśnie Abraham, który w szlachetnym skądinąd zamiarze ocalenia tych miast, jakby wczuwając się w rolę „Ojca Narodów" – prowadzi z Panem osobliwą licytację, utrudniając powody upoważniające do zagłady: z 50 początkowo do zaledwie 10 „sprawiedliwych", których obecność wystarczałaby do uniknięcia kary; dopiero niemożność znalezienia takiej garstki oznaczałaby wyrok dla miasta i mieszkańców. „Wtedy Pan, skończywszy rozmowę z Abrahamem, odszedł, a Abraham wrócił do siebie" (Rdz 18, 33).

Pan „odszedł" – należy rozumieć, że do Sodomy. Z biblijnego tekstu nie wynika jednak, by tam kiedykolwiek dotarł – przynajmniej w ten sposób, w jaki wyruszył. Wiemy natomiast, że wcześniej jeszcze udali się tam towarzyszący Panu w Mamre aniołowie (Rdz 18, 22), którzy niezwykłym przypadkiem spotkali akurat Lota w bramie miasta (Rdz 19, 1). Jak to się stało, że zamiast – w charakterze wywiadowców – zbadać zachowania z dawna okopanych tubylców, znaleźli się u Lota, który do nich nie należał? Czy to Abraham dał im pewne wskazówki i jakiś znak, po którym Lot mógłby go rozpoznać – na co wskazywałby fakt, że nie był wcale zaskoczony ich wizytą, lecz powitał uniżenie i zaprosił do domu? (Rdz 19, 1–2) Z punktu widzenia funkcji i zadań, które mieli do wykonania, zamieszkanie w domu Lota miałoby sens tylko jako próba konspiracyjnego ukrycia prawdziwego celu przybycia aniołów.

Wydarzenia nadciągającej nocy mają w sobie coś z charakteru szlacheckiego zajazdu. Pijany tłum usiłuje wtargnąć do domu Lota, żądając wydania gości, aby z nimi „poswawolić". Dochodzi do bijatyki, ucieczki Lota i zaryglowania drzwi, a także przedziwnej próby oferowania przez gospodarza, ceniącego ponad wszystko święte prawa gościnności, dwóch swoich córek w zamian za odstąpienie napastników od niecnych zamiarów wobec gości (Rdz 19, 4–10). Oferta nie przypada jednak do gustu zdeprawowanym „sodomitom", więc aniołowie porazili ich ślepotą (Rdz 19, 11). Zatem napastnicy, błądząc po omacku i przeklinając „czarowników", musieli się wycofać z placu boju.

Wszystkie te dramatyczne wydarzenia, niezbyt pochlebne dla obydwu stron, można uznać za typowe zjawiska nie tylko wąskiego kręgu kulturowego i oceniać bez nadmiernych emocji. Znacznie ważniejsze i bardziej ekscytujące jest to, co następuje później. Bo przecież jeszcze tego samego – a może poprzedniego – dnia Pan i aniołowie spokojnie ucztowali i odpoczywali w sielskiej atmosferze pod dębami Mamre, planując dopiero sprawdzenie oskarżeń wobec Sodomy i Gomory. Jeszcze wieczorem aniołowie posilali się w domu Lota, nie prostując jego przekonania, że rankiem wyruszą w dalszą drogę (Rdz 19, 2), chociaż biorąc czynny udział w odparciu frontalnego ataku sodomskich awanturników i pijaków. Wszystko toczy się więc normalnym – w każdym razie w wymiarze czasowym – trybem. I oto nagle akcja nabiera gwałtownego przyspieszenia. Już nie ma mowy o jakimkolwiek dochodzeniu w sprawie „ciężkich występków", nie ma próby rozpoznania sytuacji, aniołowie nie składają Panu raportu o prawdziwym stanie rzeczy... Zamiast tego jeszcze nocą nakłaniają Lota do opuszczenia domu wraz ze wszystkimi krewnymi, mówiąc mu: „Mamy bowiem zamiar zniszczyć to miasto [...]. Pan posłał nas, aby je zniszczyć" (Rdz 19, 13) – co zresztą nie jest zgodne z prawdą. Lot usiłuje przekonać o tym (przyszłych) zięciów – bezskutecznie, więc o świcie aniołowie ponaglają, aby natychmiast zabrał żonę i córki, a kiedy zwlekał, „wyciągnęli ich i wyprowadzili poza miasto" (Rdz 19, 16). Pośpiech, pośpiech... Mimo to jeden z aniołów jeszcze przynagla Lota: „Uchodź, abyś ocalił swe życie. Nie oglądaj się za siebie i nie zatrzymuj nigdzie w tej okolicy, ale szukaj schronienia w górach, bo inaczej zginiesz"! (Rdz 19, 17) Zagrożony Lot nie ma jednak zaufania do gór, lecz woli się schronić w sąsiednim mieście. Jest zgoda, ale nadal istnieje presja czasu. „Szybko zatem schroń się w nim, bo nie mogę dokonać zniszczenia, dopóki tam nie wejdziesz" (Rdz 19, 22). Anioł aż płonie z chęci jak najszybszego dokonania dzieła destrukcji, ale ta satysfakcja nie jest mu dana. Bo zaledwie Lot przybył do Soaru – a wciąż jest dopiero wczesny świt – gdy „Pan spuścił na Sodomę i Gomorę deszcz siarki i ognia [...]. I tak zniszczył te miasta oraz całą okolicę wraz ze wszystkimi mieszkańcami miast, a także roślinność" (Rdz 19, 24–25).

A z dala, obudzony potężnym grzmotem i jaskrawym błyskiem, bezsilnym obserwatorem rozgrywającej się tragedii obu miast i gęstego dymu „jak gdyby z pieca, w którym topią metal" (Rdz 19, 28), był Abraham. Co myślał „Ojciec Narodów", widząc taki rezultat swych niedawnych rokowań z Panem?

Tego, co pozostało, nie da się określić mianem ruin. W miejscu, które „zniszczył Pan", utworzyło się głębokie zapadlisko, a miasta przestały istnieć. Ogień trawił resztki najdalszych zabudowań, przerzucając się na trawiaste pastwiska. Paleni żywcem ludzie i zwierzęta, sięgające nieba ogniowe pióropusze żywicznych drzew, duszące kłęby dymu i wysoka temperatura, od której wyparowały stawy i studnie – oto tragiczny obraz w miejscu dwóch miast, które jeszcze przed chwilą budziły się do swych porannych zajęć.

Wokół resztek zgliszcz, wśród dymów i pożarów, powstawały stopniowo legendarne opowieści. Groza niewytłumaczalnego zjawiska i zniszczeń na dużym obszarze prowadziła nieuchronnie do dopatrywania się ich przyczynowego związku z nagannym moralnie – cokolwiek przez to rozumieć – sposobem życia mieszkańców tych miast i karą, jaka ich za to spotkała. Było to tym łatwiejsze, że autorami biblijnych opisów byli izraelscy kapłani, wrogo usposobieni do Kanaanejczyków. Na ich tle tym piękniej jaśniała sylwetka patriarchy Abrahama, nieustępliwie spierającego się z samym Panem o uratowanie miast. I nieprzypadkowo ocalonym w Sodomie był jego krewny Lot wraz z córkami. Ale byli też inni – grupa ludzi w większej odległości od centrum katastrofy, zapewne w większości rannych i poparzonych.

Sodoma i Gomora… Negatywne skojarzenia z nazwami tych miast są spowodowane mało wiarygodnym, ale i chaotycznym, fragmentarycznym i mało spójnym przekazem kronikarzy. Cała rzecz wydaje się niezmiernie tajemnicza, ale niekoniecznie musi taką być. Pewne fakty i zjawiska dają się rozwikłać – przynajmniej na zasadzie dużego prawdopodobieństwa. A poszukiwanie naturalnych przyczyn zagłady obydwu miast sprowadza się zasadniczo do dwóch wersji wydarzeń.

Pierwsza z nich – bardzo dawna – upatruje przyczynę w lokalnym trzęsieniu ziemi. Rzeczywiście, w czasach biblijnych półwysep Synaj był obszarem sejsmicznym, a nawet wulkanicznym. Istniejące tam pokłady siarki, smoły i ropy naftowej, wraz z uwolnionymi przez trzęsienie podziemnymi gazami, mogły na skutek samozapłonu spowodować ogromny pożar, wzmacniany przez zapalenie się zabudowań z drewna i słomy, w tym także pasterskich szałasów z gałęzi, liści i trawy. Wszystkie zabudowania wraz z pomieszczeniami dla zwierząt, magazynami i spichrzami były wszak niezmiernie proste i z łatwopalnych materiałów, a pożary – codziennością. W tym przypadku jednak nie tylko skala zjawiska, lecz i nadzwyczajne okoliczności jego przebiegu wywarły wstrząsające wrażenie, czego ślady znajdujemy w biblijnej relacji. Hipoteza ta jest wielce prawdopodobna.

Ale nie da się wykluczyć niedawnej teorii, przypisującej dzieło zniszczenia uderzeniu planetoidy (asteroidy) czy jej fragmentu, zwanego meteorytem. To nie tylko pewne materialne ślady, jak ów gliniany dysk z graficznym wyobrażeniem gwiaździstego sprawcy tragedii, który starożytni pozostawili nam jako świadectwo niezwykłego wydarzenia, którego sprawcą był Bóg lub bogowie, bezpośrednio i doraźnie wpływający na losy ludzi. Dokładna analiza tekstu biblijnego również wskazuje na groźnego przybysza z kosmosu.

Przypomnijmy jeszcze raz ów tekst. „Pan spuścił na Sodomę i Gomorę deszcz siarki i ognia (pochodzący) od Pana (z nieba)". To, jak postępują aniołowie z rodziną Lota, tylko pozornie jest uprzedzaniem wypadków i próbą ratunku przed śmiertelnym zagrożeniem. W rzeczywistości mamy tu do czynienia z opisem już dokonującej się katastrofy. W tym nienaturalnym, nerwowym pośpiechu, niemającym żadnego uzasadnienia w poprzedzających go wydarzeniach, w tym ciągłym ponaglaniu Lota do ucieczki, w tym fizycznym udziale aniołów „chwytających za ręce" jego samego, żonę i córki, wyraża się dramatyzm sytuacji, osłupiające zaskocznie gwałtownością uderzenia „pioruna z nieba", a także zamieszanie, chaos, krzyki i rozpaczliwe próby ucieczki gdziekolwiek, we wszystkich kierunkach – tych, którzy nie zginęli natychmiast, którzy nie zamienili się w żywe pochodnie. „Nie oglądaj się za siebie i nie zatrzymuj […] bo inaczej zginiesz" – woła anioł. Tak, bo każda chwila jest bezcenna, bo inni już zginęli. Ale wezwanie to oznacza też: Nie patrz! Zamknij oczy! Nie odwracaj głowy! Dlaczego? Bo porazi cię oślepiający błysk i blask rozpalonego ognistego pioruna, tak jak już poraził tych, którzy mieli nieszczęście spojrzeć. Tak jak nieznaną z imienia żonę Lota, która pozostała na wieki niemym świadkiem dramatycznych wydarzeń, zamieniona przez swą nadmierną, a szkodliwą ciekawość w słup soli (Rdz 29, 26). To oczywisty przykład licznych ludzkich „posągów", które były dziełem ognia i temperatury. Później żonę Lota skojarzono ze skalnymi słupami, których nie brak w tej obfitującej w sól okolicy. A czyż „oślepienie napastników" w domu Lota nie jest śladem wielu takich przypadków spowodowanych owym błyskiem – a tu, w ludowych opowieściach, przypisanych „aniołom" i ich nadzwyczajnej mocy?

Zachowanie Lota w czasie ucieczki też jest wielce symptomatyczne. Dlaczego właściwie opiera się on „aniołom", nie chcąc uciekać w góry, „aby tam nie dosięgło go nieszczęście, i aby nie zginął"? Być może jako tubylec wiedział coś, czego nie wiedział „anioł"– na przykład o niebezpiecznych zwierzętach lub rozbójnikach? Ważniejsze jednak wydaje się to, co następuje wkrótce po wybuchu. Oto Lot, wybierający sąsiednie miasto jako bezpieczniejsze do przeżycia niż góry, szybko i jakby przezornie zmienia zdanie. „Zamieszkał wraz z dwiema swymi córkami w górach, gdyż bał się pozostawać w tym mieście" (Rdz 19, 30). Czego się bał? To jasne, że mógł się obawiać – a właściwie ci, którzy w panicznej ucieczce schronili się w sąsiednich miastach – że po zniszczeniu Sodomy i Gomory gniew Pana obróci się przeciwko tym miastom właśnie! Przerażenie katastrofą i przewidywanie następnej czyniło w tej sytuacji niebezpieczeństwo górskich kryjówek zupełnie znikomym i bez znaczenia. Wybór był oczywisty.

Tak oto dokonała się zagłada dwu kananejskich miast, których pozostałości dopiero ostatnio próbuje się zlokalizować. Otoczyła je ponura sława gniazd wszelakich wynaturzeń, orgii i rozpusty na skalę jakoby niespotykaną. Podłożem tych opinii były międzyplemienne niesnaski, rywalizacja o ziemię i wodę, walki i wojny inspirowane różnicami religijnymi – wszak o Izraelu mówi Mojżesz: „Wytępisz wszystkie narody, które ci daje Pan, Bóg twój... abyś nie służył ich bogom" (Pwt 7, 16). W rzeczywistości mieszkańcy „rozpustnych" miast, na tle licznych okrucieństw i wszystkich zachowań obyczajowych owego czasu, niczym nie wyróżniali się wśród sąsiednich ludów i plemion. „Źli" i „występni" stali się dopiero w zapisach biblijnych kronikarzy, po gwałtownych zniszczeniach, pożarach i śmierci większości ludzi. Te budzące przerażenie i grozę zjawiska nie dawały się uzasadnić niczym innym, jak tylko karą Pana za jakieś straszliwe, lecz utajnione występki. Napiętnowane w ten sposób Sodoma i Gomora stały się na całe tysiąclecia symbolem wszelkiego – i ukaranego – zła, na którego tle bliższe i dalsze ludy wydawały się nieporównanie lepsze, miłe Panu i przez to niezasługujące na podobne wyrównywanie rachunków. A ta groźba była realna, bo przecież Pan „odpłaca każdemu z tych, co Go nienawidzą, niszcząc ich. Nie pozostawia bezkarnie tego, kto Go nienawidzi, odpłacając jemu samemu" (Pwt 7, 10). A za nieposłuszeństwo – mówi Pan – „ześlę na was straszne nieszczęście i gorączkę" (Kpł 26, 16); „rozbiję waszą dumną potęgę [...] wasza ziemia nie wyda żadnego plonu" (Kpł 26, 19–20); „ześlę na was dzikie zwierzęta, które pożrą wasze dzieci, zniszczą bydło, zdziesiątkują was" (Kpł 26, 22); „zamienię w ruiny wasze miasta" (Kpł 26, 31); „zginiecie między narodami" (Kpł 26, 38) etc. Zresztą tłumaczenie naturalnych klęsk żywiołowych karą niebios za jakieś nieokreślone bliżej występki przetrwało nie tylko czasy biblijne, ale i średniowiecze, zachowując swą żywotność aż do dni całkiem współczesnych, by wspomnieć tylko „karzącą" funkcję japońskiego, a wcześniej indonezyjskiego tsunami.

OD RAJU UTRACONEGO –
O CZYM STROFY PIERWSZE,
AŻ DO ZIEMI OBIECANEJ...
(PRAWIE) WSZYSTKO WIERSZEM

CERAMIKA ADAMOWA (Rdz 2, 7)

Skąd bierze się niedoskonałość ludzi – kto odpowie?
Zwyczajnie – proces twórczy przerwano już w połowie
Bo nasz praojciec Adam, jako że z gliny ulepiony
Powinien później zostać i w ogniu wypalony!

STWORZENIE KOBIETY (Rdz 2, 21–23)

Rzekł Adam zauroczony: Piękne jest złoto i srebro
Lecz najpiękniejsze w takiej postaci jest żebro!

SZATAŃSKIE KUSZENIE EWY (Rdz 3, 1–5)

Tsss… szsz, szsz, szsz, tsss czy to ty, Ewo?
Głupio się pytam… Spojrzyj na drzewo.
Jakie wężysko?… Po prostu wężuś.
A jak tam w domu? Dzieci i mężuś?
Że ludzkim głosem? Ja się nie dziwię…
Może tak wpływa leśne igliwie
Powietrze pełne żywicznej woni
I ta idylla rajskiej harmonii
Kwiecisty dywan kolorów w maju
Maj wciąż i wszędzie – jesteśmy w Raju!
Lecz gdy się wdzięczysz tu bez odzienia
Wiem, jak cię bardzo świat nie docenia.
Gdybyś trafiła w puchowe łoże
Królów Ludwików albo Cezarów
I w nim użyła wdzięków i czarów
Żyłabyś w takim przepychu, blasku
Przy którym w Raju – to byt w potrzasku
Zaledwie tracąc coś na honorze…

I król czy cesarz, wódz czy kardynał
Co z wrogiem dzielnie sobie poczynał
Byłby ochotny na twe rozkazy
Za każdą z łask twych – nawet sto razy!
A gdyby ujrzał cię Casanova
Sługa Erosa, mistrz i pan słowa
O, ten by cię zabrał w takie krainy
O których tylko marzą dziewczyny.
Wiedz, że się takim twoje stać może
Życie w stereo oraz w kolorze.
Nawet ja cały skręcam się w splotach
Gdy rankiem biegasz tu w papilotach...
Czy cię nie nęcą tak piękne cele?
A to nie jakieś zwodnicze trele...
Ach, nie rozumiesz... więc cię dopieszczę
Tak, by twym ciałem wstrząsnęły dreszcze
I puchar darów rzucę tak hojny
Że w bezmiar szczęścia wzlecisz upojny
Przyjdź zatem jutro, i znów pojutrze
A ja cię mądrych sztuczek nauczę
Ugoszczę takim cię rarytasem
Że po nim zyskasz władzę nad czasem
I nad przestrzenią, nad złem i dobrem
Nad lwem ryczącym i mokrym bobrem
I śmierć nie złapie was w groźne kleszcze
By swe wykonać cele złowieszcze.
Ty zaś od bogów będziesz mądrzejsza
Młoda, pachnąca i najpiękniejsza!
Tu rzekła Ewa: Idź precz, szatanie!
Chciałam powiedzieć... niech tak się stanie
Bo rzecz wygląda dla nas tak pięknie
Że nawet Adam z zachwytu jęknie!

KUSZENIE ADAMA (Rdz 3, 6)

– Zjedz to jabłko, Adamie… jakiż w nim kolor, smak, witaminy…
Wybrałam najpiękniejsze z drzewa – chociaż nie mamy drabiny!
– Któż ci się oprze? – powiedział Adam – ty kusicielko.
Na zakazany owoc już wczoraj miałem ochotę wielką…
Skoro ugryzłaś, to wiem, że jabłko nie jest zatrute…
Lecz jeśli Pan nam okrutną jakąś zada pokutę?
Jeśli w trąb ryku, zanim po trzykroć kur tu zapieje
Głos się rozlegnie: „Precz z tego Raju, wy dwaj złodzieje"?
– Dwoje – odrzekła Ewa – tak się poprawnie mówi, Adamie,
Lecz wąż obiecał nam nieśmiertelność – a on nie kłamie!
– Więc do owoców upodobanie, Ewo, niechaj zwycięża
A w razie czego zrzucimy winę za grzech na węża!

ŻALE RAJSKICH NAJEMCÓW (Rdz 3, 22–23)

Oto, co znaczy być lokatorem –
Eksmisja pod byle pozorem…

NA WYGNANIU Z RAJU (Rdz –)

– Źle tu, Adamie, tak bez sąsiadów, bez wizyt, tańców, na tym odludziu, w tej dziczy…
– Czyś zapomniała, że cała ludzkość to tylko kwartet nasz hodowlano-rolniczy?

ZBYTECZNA DOCIEKLIWOŚĆ (Rdz –)

– Tak jest – rzekł Adam – to bydlak, zbir, intrygant, był ten wąż
Podstępny zbój i łotr, i piekielnego mistrz werbunku

Obmierzły ślizgacz, czart, lecz pytam – twój nieślubny mąż.
Co dzisiaj cię obchodzi, jakiego on był gatunku?

TROSKI PRAOJCÓW (Rdz –)

– Gdzież to nasz Kain? Pole czas orać, a on się leni… czy mu się
marzy kontusz i szabla?
– Dajże mu spokój, chłopak pracuje… mówił mi wczoraj, że on
maczugę struga dla Abla!

PREKURSOR (Rdz –)

– Masz swego rzemieślnika – mówił Adam – jaskiniowca z maczugą…
Ale przestań już ryczeć, zwróć uwagę na okoliczność drugą.
Bo z postępku Kaina chuligana, wypływa wniosek taki:
Zabił, choć nie mógł wiedzieć, że istnieje śmierć i umarlaki.
Jest zatem prekursorem prostych rozstrzygnięć różnych zawiłości
Czy wiesz, Ewo, jakie on perspektywy otworzył tym ludzkości?

PAN I KAIN (Rdz 4, 10–16)

Zabiłeś brata, więc cię z tej ziemi kłusem popędzę
Lecz twoje życie, nad wyraz marne, jednak oszczędzę.
Nawet wypiszę dla bezpieczeństwa list zwany glejtem
Na podróż bez wiz, między Irakiem oraz Kuwejtem.
I przemilcz dalsze teksty obłudne na swą obronę…
Precz z tym biletem i wiedz, że ważny jest w jedną stronę!

Pomyślał Kain: Zbytnio się chciałem skruchą wygłupić
Bo dość bezkarnie można braciszka tu ukatrupić!

KURIER Z KRAINY NOD (Rdz –)

Przez tego oto umyślnego
Bo innej poczty tu nie znamy –
Życzenia zdrowia najlepszego
Dla tatki i dla smutnej mamy...
To ja, wasz Kain, ten banita
Który tu z kraju Nod was wita
Dokąd jak wołu czy barana
Los zesłał mnie wyrokiem Pana.
I czasem myślę wręcz o cudzie
Bo skąd są poza Rajem ludzie?
Miała być pustka... lecz są, żyją
Grywają w kości, żrą i piją
Ale to nie na moją czaszkę
Choć tu uchodzę za watażkę
Tym niechaj martwi się nauka...
Grunt, że mam syna, a wy wnuka!
Henoch mu dałem... wraz z niewiastą
Zbuduję tu też Henoch – miasto
A może kiedyś was odwiedzę
I populację tam przerzedzę...
Żart taki... bo choć byłbym lisem
Granicę z groźnym mam napisem
Według tubylców „Wstęp wzbroniony"
Bo ja nie bardzo te kulfony...
Co u was? Kto obsiewa pole
Zbiera kamienie i kąkole
Zabija krety, wali cepem
Obsadza wzgórza winnym szczepem?

Czy tatko ma już zwierząt parkę
I hodowlaną gospodarkę
I ludzi do obsługi żłobu
Spośród włóczęgów i nierobów?
Ech... co ja tu o ludziach gadam
Wszak brak ich tam już prawie... spadam.
Lecz czy wciąż strzeże naszej chaty
Szczekacz, czworonóg ten pyskaty?
I czy wypełnił już ktoś próżnię
Po tym, com go maczugą...? U mnie różnie...
Z wyżerki – zwykle groch z kapustą
Zamiast – jak tam – jeść świnkę tłustą
Hej, gdzie te rajskie rarytasy
Ptactwo, kotlety i kiełbasy
I ta codzienna łamigłówka
Jak ona zwie się... Pejsachówka!
Wdałem się w bójkę z chłopakami...
No nic, trenuję... miałem wpadkę
Lecz jeszcze im tu zrobię jatkę
Niech mi spróbują z tym „Wyszczerbus"!
Salem alejkum, pokój z wami
Cześć, Prarodzice, pa...
Wasz Nerwus

JAK TUBAL-KAIN CHCIAŁ KOWALEM ZOSTAĆ
(Rdz 4, 21–22)

Gwiżdże coś na piszczałce Jubal – mój brat muzykalny
Dmucha w muszlę i ropuchę wyschniętą
Do taktu wali zaś w bęben piętą.
Chce, bym ryczał z nim pieśni... lecz ja jestem normalny.
Upatrzyłem więc sobie rzemieślnicze zajęcie
Które mógłbym uprawiać, nawet będąc na rencie.

Nie mam chęci pasać tępych baranów
Ani tajnym zostać uchem organów
Karawany handlowe też nie nęcą mnie wcale...
Ale jako prekursor – będę pierwszym kowalem!
Już słyszę to walenie młotem
Zgrzyt bramy, otwieranej kołowrotem
A kuźnia będzie ziała ogniem
Jak gdyby ktoś zapalił w niej pochodnię
Girlandy iskier z paleniska...
Hej, cały Icekland na tym zyska!
Bo wystąpię z bogatą ofertą mych wyrobów
Dla kopaczy, pastuchów, rzemieślników i snobów
I aby się uwolnić od codziennej makabry
Będę wykuwał miecze, świeczniki, kandelabry
Dzwony oraz moździerze
Łyżki, noże, talerze
Łopaty, widły, dzidy, oszczepy
Topory, zdatne rozbić czerepy
Pługi, kilofy, sierpy, brony
Na sztuki, kopy albo tony
Haki, gwoździe i śruby –
Wszystko najwyższej próby
Ale głównie podkowy... hufnale i podkowy
Dla czterech końskich kopyt... lub przynajmniej połowy
Oraz zestaw narzędzi, tych do tortur przydatnych
Wyrafinowanych albo akuratnych
Szarpiących grzeszne ciało i rwących je na sztuki
Dla ukarania zbrodni, przestrogi lub nauki
Kajdany, by ujarzmić niewolników zuchwałych
I korony królewskie – dla głów wielkich i małych
Że nie wspomnę już rusztów ani pogrzebaczy
Których brak, naszych wrogów pogrąży w rozpaczy...

Tak oto postępowi otworzę wielką bramę
I zrobię mu stosowną do znaczenia reklamę
Czas, bym stał się jak Rotszyld – bogaty, zdrowy, gruby
A ze mną te Abramy, Judy, Beny, Jakuby
Bo po rajskiej epoce wszelakiej obfitości
Już siódme pokolenie gryzie trawę i kości...
Że co niby? Żelaza jeszcze nie odkryto?
Nie ten etap rozwoju? Bodaj cię zabito
Mówiąc po staropolsku... tymczasem mnie zabiłeś ćwieka
Ugodziłeś artystę, rzemieślnika, człowieka
Który pracując ręką i głową
Chciał natchnąć ludzkość ideą nową...
No i co teraz robić?
Czym porażkę ozdobić?
Ech, są takie plemiona, co w beztroskim rozpędzie
Gdy przeszkody krępują im ruchy
Po pół litra sięgają siwuchy
I wołają – ja z nimi – zawsze jakoś to będzie!

W DOMU NOEGO RODZINNA SPRZECZKA,
GDY ZBYT WYSOKO ZADAŃ POPRZECZKA (Rdz 6, 11–22)

– No, to będziemy mieli potop...
Rzekł Noe, wchodząc, i trzasnął drzwiami
– Choć taką wieść dostałem oto
Niech pozostanie między nami...
Poinformował tak ostrożnie żonę Azę
– Od kogo? – Od kogóż by, jak nie od Pana
I tak wyszedłem na bałwana
Bo gdy się Pan zniechęcił do ludzkości
Jej niemoralnej przebiegłości

I gdy niegodziwości wskaźnik
Przekroczył skalę wyobraźni –
Nie zechciał wtedy sięgnąć po zarazę
Trzęsienie ziemi, surowiec łatwopalny
Wulkan lub inny środek radykalny
Lecz postanowił – nie ogniem, siarką czy ukropem
Wygubić człekokształtnych, a klęską powodzi i potopem
Zatopić także lwy, wielbłądy, pszczoły, ptaki
Oraz te wstrętne pluskwy i obrzydliwe pajęczaki!
– Laboga! Rety! Wszyscy zginą?
– Cichaj, kobieto… ja uratuję się z rodziną
Bom wszak jest mąż nieskazitelny
Pobożny, mądry, dobry, dzielny
I Stwórcy jam pokorny sługa
A moich zasług lista długa –
Weźmy na przykład dobroczynność…
– Tak, tak… życzliwość i gościnność
I inne takie… przestań, Noe, to przecież wszyscy wiedzą
Sąsiedzi z tamtej strony gór, za rzeką, i za miedzą
Że od Eufratu aż do Nilu
Nikt nie zgromadził zalet tylu…
Nadeszła wiekopomna chwila zatem
Skoro zyskały Nieba aprobatę
By – jak na giełdzie – od zasług docenionych
Zacząć odcinać już kupony…
A kto nie inwestował w siebie –
Ten znajdzie teraz miejsce w glebie!
– Już prędzej w wodzie… – zamruczał sprawiedliwy mąż –
Lecz ja o Arce myślę wciąż
I stąd się bierze mój frasunek…
– O jakiej arce? Co to jest za gatunek?
– O tej, której budowę zlecił Pan
By spełnić swój potopu plan!

To ma być z drewna... pływak wielki, taki ten... drewniany
Bo tylko ten surowiec jest nam znany...
– Oprócz gliny i trzciny – rzekła Aza – których pełno wszędzie...
– Z nich czy z kamienia jeszcze trudniej – wiedz to – będzie
A to niemały ma być obiekt – trzysta łokci
Choć mnie tam łokieć, metr czy stopa – wszystko jedno
I tylko to twój Noe wie na pewno
Że choćbym ręce zdarł aż do paznokci
To nie zbuduję tego giganta
Bo tutaj trzeba lepszego franta...
Zwłaszcza że wszystkich zwierząt po jednej parze
Że górnolotnie tak się wyrażę
Dla zachowania cennych gatunków –
Zakwaterować muszę i poupychać wszędzie na arce...
Już słyszę te ich ryki i wrzaski, widzę te harce
No, nie wytrzyma się tam bez trunków!
Zamiast budować takie pudło
Wołałbym odkryć Nilu źródło
Bo jeszcze nikt...
– Wiem, że podróżnik z ciebie wielki
A zwłaszcza po spożyciu pół butelki...
Lecz jaki tu masz wybór, mój Noe ty poczciwy?
Być żywcem dla rekina – lub wyjść z potopu żywy!
Więc kiedy wątpliwości kłąb zacznie tobą targać
To możesz reputację u Pana swą zaszargać...
Tak więc – rodziny dobro miej na względzie
Nawet wśród tych, co lubią trawę i żołędzie!
– Znam swe miejsce w szeregu... to zaś sprawia
Że Zwierzchnikowi się nie odmawia
Toteż popieram potop jednogłośnie
Gorliwie, szczerze i radośnie.
Jedno mnie tylko w sobie złości:
Fachowych brak umiejętności!

Czy nie rozumiesz, ciemna kobieto
Że prędzej mógłbym zostać poetą
Królem, żonglerem, asekurantem
Skrzypkiem, pigmejem lub okupantem
Lwem, karuzelą, główką kapusty
Carem, zegarem, gniazdem rozpusty
Nurkiem, opryszkiem, Turkiem, kowbojem
I abstynentem zamiast opojem
Rurą, upiorem i sznurowadłem
Kołem zębatym, albo wahadłem
Oryginałem, falsyfikatem
Katem, piratem lub feldkuratem...
– Dość tego, Noe...
– Pterodaktylem
I korkociągiem albo gorylem
Tkaczem, krętaczem, torreadorem
Niż budowniczym i konstruktorem?
Tak bywa, gdy wielkości ducha
Nie odpowiada ręka głucha!
Owszem, zdarzyło mi się kiedyś wystrugać coś na kształt szalupy
Lecz gawiedź tak ryknęła śmiechem, że jej skręcało kręgosłupy
Straciłem ją, bo szybko poszła na dno...
Zresztą i tak tu wszystko zaraz kradną!
Żeby choć jakieś biuro projektowe...
Z tą moją fachowością mogę najwyżej doić krowę!
I co tu robić? – Więc powiedz – rzekła Aza – wszystko czarno widzę
Zwłaszcza że się budową statków brzydzę!
Wiedz zatem, że ci Stwórca wskazówki da na pewno
Zaopatrzenie wskaże, w narzędzia, śruby, drewno
Jest i siła robocza – wszak mamy trzech budrysów...
– Chciałaś powiedzieć raczej: trzech łobuzów, urwisów
Którzy... no, mówiąc krótko – na nic wszelkie zaklęcia
Gdy nie mają ochoty ni o pracy pojęcia!

– Widzę, że muszę w swoje ręce wziąć te sprawy…
Dosyć gadulstwa, Noe! Dość zabawy!
My chcemy pożyć trochę… więc zostaw te głupoty
I do roboty, Noe! Do roboty!
– Dobrze, już dobrze… zakończmy te pogwarki
Jutro powieszę wizytówkę: „Naczelny Budowniczy Arki”!

NOE I SĄSIEDZI – KPIARZE,
CO SZYDERCZE MIELI TWARZE (Rdz –)

Noe, co ci odbiło, chłopie?
O jakim ględzisz tu potopie?
Popatrz dokoła: ani chmurki
Kobietki chętne do rozbiórki
Faluje zboże, kwitną maki
Lśnią kolorami rajskie ptaki
A my, znów słysząc twoją śpiewkę,
Sięgamy w barku po nalewkę
I utrwalając stan nasz błogi
W niej zatapiamy twe przestrogi!
    A Noe myślał: Gdy im przyjdzie łapami machać w wodzie
    Nie rzucę ratunkowych kół, choć będą wołać w niej o zgodzie…
Ten potop, Noe, to są bajki
Dobre, by strachem złamać strajki
Ale nie dla nas, starych koni…
Lecz niech cię taki żart nasz broni:
Tu się stoczniowy przemysł rodzi
Okrętów, statków, tratw i łodzi!
I co? Gdy skończysz już swą krypę
Ludzkość ma zrobić własną stypę
Lub kryć się niby gad w skorupie?
Chyba ci woda we łbie chlupie!

A Noe myślał: Gdy wam woda wyjdzie uszami oraz nosem
Będziecie wrzeszczeć, rżeć i kwiczeć, beczeć baranim głosem…
Więc co to będzie, Noe? Powiedz!
Galera czy też lotniskowiec?
Fregata, szkuner, bryg, galeon
A może każdy z nich to nie on?
Bo łódź, niezgodnie z twoim planem,
Okaże się katamaranem?
Może jacht turystyczny dłubiesz
By ruszyć nim na świata rubież?
Lub choć dla ciebie to zbyt łatwe
Zbudujesz nam i sobie – tratwę?
     A Noe myślał: Będziecie wy bulgotać, prześmiewcy i nicponie
     Kiedy wasz spichlerz, pies i kot, i każdy z was zatonie!
Więc czy chcesz pływać z ludźmi jachtem
Czy też przewozić towar frachtem?
Albo poznając morskie prądy
Zechcesz odkrywać nowe lądy?
Choć i korsarskie by rzemiosło
Twoich talentów nie przerosło!
Lecz jak swą łajbę czy kanoe
Ściągniesz stąd gdzieś nad morze, Noe?
Ty lepiej nastaw samowarek
Lub obróć raz, dwa, trzy, browarek!
     A Noe myślał: Rechocą niby kat, gdy bierze topór w szatni…
     No, jeszcze zobaczymy, kto tu się będzie śmiał ostatni!

Zaokrętowanie (Rdz 7, 7–9)

Jestem kapitan Noe! – pytacie, skąd się wziąłem? Dziękujcie
za to Panu… że przybyłem tu na ratunek waszego zwierzostanu – przed kataklizmem wodnym, który nas wkrótce czeka…
To znaczy, wy mało pojmujący, że ludzi też dotyczy, i każdego

człowieka... a nawet przede wszystkim to o nich głównie chodzi w tej groźnej zapowiedzi o okropnej powodzi... Bo też poswawoliła sobie ludzkość, że ho, ho, ho... Sam niejedno widziałem, wszak już sześćset lat żyję, czego tutaj nie kryję, więc zuchwałość szatańska, tańce, hulanki, swawola – kiedy odłogiem leżą pola, zaś brat często żył z bratem, a nawet z całym partyjnym aparatem, tu kradzieże, pijaństwa, pospolite szachrajstwa, tam – sąsiad zły na sąsiada, jego harem napada lub dziurę robi w brzuchu, przy tym szkodę w kożuchu – niejeden był rozbity czerep, garnitur zębów albo nos, gdy w arsenale bogaty wybór maczug, kamieni, młotków, kos... No, obchodziło się te paragrafy, raz z lewej strony, raz z prawej strony, a kiedy się obejść nie dało, to się zwyczajnie je łamało, niby sztachety w płocie na wiejskiej zabawie... I mówię do was to otwartym tekstem, wy czworonogi i dwunogi, wy tępe łby, bo przenikliwym swym umysłem odkryłem, że nie jesteście lepsi... Dlaczegóż Pan, stosując równych kar zasadę, was również skazał na zagładę? A to żywcem pożeranie, a zapasów podkradanie, a te spory i bójki, a te zdrady i wampiriady – może chcecie to przykryć strojnymi piórami, ćwierkaniem, gdakaniem, brzęczeniem i rykami? A tu obecna fauna – jak się znalazła na pokładzie? Część wyłapałem z poświęceniem osobiście – a reszta? Skąd wiedziała o potopie, kto wydelegował i wysegregował ją z niezliczonej gromady pobratymców, skazując ich na niechybną śmierć w odmętach, na historycznych zakrętach? I tak dalej, i dalej... Lecz jeśli mamy tu, na Arce, życiowy zdać egzamin – musi być przestrzegany regulamin!

Jam człowiek gołębiego serca
Nie deprawator, ni oszczerca
Lecz arka to jest moja grządka
Musicie pojąć to, zwierzątka!
Więc każdy zwierz dostanie własny przedział
Gdzie do potopu końca będzie siedział

Ma się rozumieć – w trosce o godziwe warunki
Lecz o to też, by w jednych pyskach – drugie nie ginęły gatunki
By w bójkach krew nie ciekła ciurkiem
A krzyki się nie niosły chórkiem
By nie fruwały pióra, zielone, żółte, białe, rude
Tak troszczę się o ten zoologiczny mój ogródek!
Zabrania się podkradać żywność oraz wodę
Lub w każdy inny sposób wchodzić w szkodę
Zabrania się kogutom piać o brzasku –
I bez tego na pokładzie dosyć wrzasku!
A słonie niech zawiążą na supeł swoje trąby
Bo ryk i wstrząs zatopi arkę niczym wybuch bomby!
Lecz muszę dodać: choć z wami bardzo miło
Nikogo na pokładzie nie będę trzymał siłą
Więc jeśli regulamin nie podoba się komu
Uprzejmie proszę – won za burtę i pieskiem wpław do domu
Czyli do bajora, na gałąź, do nory!
Ale potop przetrwają tam jedynie upiory...
A teraz powiem krótko, choć mógłbym znacznie więcej:
Zbiórka – kolejno odlicz... chyba do stu tysięcy
A potem do swych kajut – zamykać drzwi i bramy
Głowy i łby do góry: gdy deszcz nadejdzie – odpływamy!

NA POKŁADZIE ARKI (Rdz 7, 17–24)

Nieogarniona wzrokiem dal
I śpiew, tłumiony rykiem fal...
Już płyniemy trzy tygodnie
Wciąż wiatr z deszczem, ciągle chmury
Przez te protoplastów zbrodnie
Krajobraz ponury...
Chlup, chlup, spieniona woda
O burty wściekle wali

Więc pewność i wygoda
Jak w przestronnej balii
Łup, łup, coś w kadłub stuka
W te belki nader liche
Czy potwór morski szuka
Kogoś na zagrychę?
Zimno niby na Kamczatce
Tylko ćwiartkę z gwinta spożyć
Wszak zakąska siedzi w klatce –
Albo cudzołożyć...
Ryk, kwik, zgłodniałe zoo
Z którym się nikt nie pieści
Lecz wstań, waląc się w czoło
O piątej trzydzieści
Trud, smród, i takie rejsy
W których, choć przez pragmatyzm,
Mokną brody i pejsy
Skręca reumatyzm!

Tutaj Noe rozgniótł mrówkę
I wygłosił swą solówkę...
Gdyby to widział mój tatko Lamek
Który był birbant i bawidamek
I miał u wszystkich gorliwe wsparcie
Hasłem „Kobiety, wino i żarcie!"

By postawić sprawie kropkę
I proroctw się okryć chwałą
Uznajmy potop za szopkę
Niezbyt doskonałą
Kruk, łuk – na niebie tęcza
Przymierze każdy chwali
Lecz, ręcząc świętość wnętrza
Pół litra obali

Tłum, szum, ludzkość się bawi
Wśród masakr aż do granic
Lud w wojnach się wykrwawi –
Cały potop na nic!

PRZED OPADNIĘCIEM WÓD (Rdz 8, 5–13)

– Wypuścimy ojciec kruka?
Niech ptak suchej ziemi szuka!
– Leć więc, szukaj, kruku czarny
Choć krajobraz wciąż koszmarny
I choć szczyty gór wciąż giną
Pod przepastną wód głębiną...
Zatrzepotał ptak skrzydłami
I poleciał nad wodami
Lecz powrócił w trzy godziny
Czarny zwiastun złej nowiny
– Marny los nasz, arkanauci
Kto ten czas pluskania skróci?
Kiedy dni się płynie dwieście
To jest gorzej niż w areszcie!
Gdy minęło dni niemało
Noe gołębicę białą
Wysłał z misją wywiadowczą
Nakazując jej stanowczo
Odszukanie skrawka lądu
I grożąc śmiercią bez sądu
Na nic groźby i wyzwiska
Gdy ziemi ani ogryzka...
Więc tu egzekucja smutna
Tam – rzeczywistość okrutna
– Noe, wypuść znów gołębia
A jeszcze lepiej jastrzębia!

Poszybował gołąb sobie
I gałązkę przyniósł w dziobie
A wraz z nią radości nektar
Jakby to był lasu hektar
– Wiwat, Noe! Wiwat, arka!
I oszczędna gospodarka!
Dzięki niej przetrwało zoo
Kiedy potop szalał wkoło
Przetrwaliśmy i my także...
Mężu! Ojcze! Synu! Szwagrze!
Jeszcze dziesięć dni pogody
I opadną resztki wody
Wyschną pola i pastwiska –
Semie, Chamie! Dajcie pyska!
Nie powróci trzeci gołąb
Będzie pięknie i wesoło
Przybijamy, gdzie nas przygnał prąd
Na nieznany, obcy, księżycowy ląd!

WYMARSZ ZWIERZĄT (Rdz 8, 19)

Rzekł Noe triumfalnie: – Wszystkie skrzydlate parki
Już dawno odleciały z mojej zbawiennej arki
A teraz reszta sfory niech także się rozpierzchnie
I zajmie lasy, góry... całą ziemską powierzchnię.
Więc tam, gdzie horyzontu sięga wzrok
Bo dalej tylko otchłań, przepaść, mrok...
(Tutaj się mocno zafrasował Noe: – Skoro tak –
To czemuż nie opadła zaraz woda i nasz nie osiadł wrak?)
Zresztą, nie czas na wykład naukowy
Wychodzić wreszcie – bo pomost już gotowy!
Tak, tak... rozumiem... chrząkanie, ryki, kwiki, wrzaski
To znak uznania dla mnie – a więc jakby oklaski

Wielce zobowiązani – chcecie tak rzec gromadą
Co w śmiesznym portugalskim brzmi *molto obligado*.
Prognoza nie najlepsza – bo choć już deszcz nie pada
To wszędzie są bezdroża, a nie autostrada
Wreszcie to, co przeze mnie Pan wam wykonać każe:
W potopowym błocie grzęznąc
Wlokąc się, brodząc, człapiąc, pełznąc
Niech żaden nie utonie zwierz – wszak to ostatnie egzemplarze!

Po potopie (Rdz –)

– Pomyśleć tylko… już po wszystkim…
Noe uśmiechnął się szeroko
I wznosząc w górę jedno oko
Drugim zwycięsko mrugał bliskim.
– Pan nas ocalił, dając życie
Ziem, wód i roślin ponad miarę
Zwierząt i innych rzeczy parę –
Wyposażył dość obficie.
Gdy się więc skończył koszmar wodny
Czas czerpać z życia nam uroki
Niech będzie każdy dzień pogodny…
– Ojciec, tam płyną jakieś zwłoki!
A tam znów inne dwa oldboje…
– Wolałbyś widzieć zwłoki swoje?
Albo też żony, matki, ojca… może brata?
Skoro zdecydowano o zagładzie świata
Na najwyższym szczeblu, w nieomylnym trybie
To ja, nawet myślą, Panu nie uchybię
Zwłaszcza że ród nasz w świetnym stanie fizycznym
Wprawdzie dzięki zaletom moim rozlicznym…

Cieszmy się zatem i wznośmy psalmy
I nad nurkami nieco użalmy!
Tutaj Sem się w dyskurs wtrącił
I pogodny nastrój zmącił:
– A nasi liczni krewni, dalecy, oraz bliscy
Ci wszyscy Jerychońscy, Zamorscy i Gruzińscy
Nilowicze, Wyspiarscy, Saharyjscy i inni –
Sąsiedzi, wujki, dziadki – też płyną, ciężko winni?
Że już zwierząt domowych, polnych, leśnych, nie wspomnę
A są ich... pardon, były! – wszak gromady ogromne!
– Zwierzęta! – wrzasnął Noe – kury, kaczki, króliki
Konie, woły, barany, i z importu indyki
Gdzież krowy, osły, kozy – ten cały nasz inwentarz?
– Pognałeś je z tamtymi, więc poszły jak na cmentarz
Tak, ojciec, gdzież są pieski – Łajba oraz Potopek?
– A bałwanów siódemka? – rzekł Noe, klnąc ze złości. –
Zasłużyliście wszyscy, by wam połamać kości
Albo wymłócić cepem, niby pszenicy snopek
Donnerwetter, carramba! Tfu, toż boska obraza...
Co robił Cham, Sem, Jafet, i wasza matka Aza?
A wasze trzy żoneczki – Alma, Sally i Miki
Czy może przymierzały perły oraz kolczyki?
O wszystkim musisz, Noe, myśleć
Więc teraz swój inwentarz wyśledź!
Do roboty, gamonie! Czy wam życie już zbrzydło?
Żeby nie paść tu z głodu, trzeba odzyskać bydło!
Dalej, nie zwlekać dłużej, by przed wieczorem zdążyć
Dopaść tę całą zgraję, wytropić i okrążyć
Rozpoznać i oskrzydlić tę naszą rogaciznę
Odciąć drogę ucieczki, wykazać swą tężyznę
Ciąć, siekać, wybatożyć... do licha, atamanem
Jestem czy też mongolskim albo tatarskim chanem?

Dość, nie skończyć bankructwem lub głodowym pomorem...
– A ty, ojciec? – Ja będę głównym koordynatorem!

PRZYMIERZE ANTYKRYZYSOWE (Rdz 9, 8–16)

Spojrzałem okiem mym – rzekł Bóg – na bezmiar nieszczęść, klęsk i szkód
Jakie w swym rozszalałym biegu zrobił niszczący żywioł wód
Przeto niech słucha moich słów i każda z istot niech ich strzeże
Powziąłem bowiem zamiar ten, by z nimi zawrzeć to przymierze
Oto, gdy mój firmowy znak na niebie zalśni łukiem tęczy
Wspomnę i ciężkich ogrom wód potopem w szkwale się nie spiętrzy
Tak, iżby odtąd nigdy już ten na me podobieństwo człowiek
Nie musiał fal odmętów pruć i wzywać Wodne Pogotowie
Więc nie spustoszy ziemi już potop – a każde moje słowo
Jest dokumentem i podpisem oraz pieczęcią urzędową!

BAL OCALONYCH (Rdz –)

Hej, ciemność naokoło
A u nas tu wesoło
Bo ongiś życie w ścisku
A dziś bal przy ognisku!
   Hej, lecą iskry, lecą
    W nich oczy wilków świecą
    Na dole gwiazdy w chórze
    Niebo gwiaździste w górze
Hej, dorzuć tam szczap który
Niech mięs się smażą góry
I niech zginą, jak w piekle
Komary tnące wściekle
   Hej, wrzasków w nocnej ciszy
    Nikt w świecie nie usłyszy

I żaden sąsiad długo
Nie wpadnie tu z maczugą
    Bo kto palce swe wyćwiczy
    Ten do ośmiu ludzkość zliczy!
Hej, Noe sześćsetletni
Mknie, rzępoląc na fletni
Bo skutkiem złej topieli
Góralskiej brak kapeli
    Hej, pieśni w dal się niosą
    A my tu w tańcu boso
    Na pohybel potopom
    I chwałę winożłopom!
Hej, jest w najwyższej cenie
Życiowe doświadczenie
Gdy innym potop straszny
Dla nas to żart rubaszny…
    Hej, wnet Noego plemię
    Obsiądzie całą ziemię
    Co większa ponad miarę
    Od arki jest obszarem!

Co oburzyło synów Noego (Rdz 9, 22)

Rzekł Cham do braci: – Beczkę wina nasz ojciec sam wyżłopał
Więc leży teraz ścięty, jak suchy pień na opał
I trudno go żałować, bo mówiąc między nami
Postąpił całkiem podle, nie dzieląc się z synami!

Klątwa Noego (Rdz 9, 24–27)

No, wy łobuzy… najpierw pędem
Wokół szałasu dziesięć razy…
A teraz stanąć jednym rzędem
I słuchać, psiakrew, bez obrazy!

Owszem, popiłem wczoraj tęgo
Leżąc bez ducha i odzieży
Bo wszak nie jestem niedołęgą
I pijam z kufli, czar, moździerzy
Ale nie biję też głuptasa
Nawet gdy się pod pięść nawinie
Który się gapi na golasa
Chyba że rzecz się ma w rodzinie
Bo wtedy są okoliczności
Tak bezlitosne jak epoka
Żyjemy wszak w starożytności
Podobnej w grozie swej do smoka
Stąd, gdy ktoś – nawet mimowolnie
Przekroczy zasad kodeks święty
Ten zwyczajowo, choć oddolnie
Ma uroczyście być przeklęty.
Mógłbym więc przekląć z trzech każdego
Dreptającego tu barana
Lecz – cieszcie się! – nieobecnego
Wybrałem wnuka Kanaana
Niech zatem będzie on przeklęty
Stając się sługą swoich braci
I niech zdzierając ręce, pięty
Sema, Jafeta też wzbogaci
I niech mu język od os spuchnie
Na obiad niechaj jada myszy
I niech co drugi dzień ogłuchnie
A w pozostałe – nic nie słyszy
Że on, nie będąc w mym namiocie
Obyczajności nie uchybił?
Nie ugrzązł więc w moralnym błocie
Lecz gdzieś podobno staw zarybił?

Trudno – nie może być inaczej:
Bez względu na czyn i szkodliwość –
Prawo niech zawsze prawo znaczy
A sprawiedliwość – sprawiedliwość
Przy tym nieważne dla ich strzępków
Na czyją głowę klątwa spadnie
Lecz, by liczba klątw i występków
Zgadzała się w miarę dokładnie...
   Tu Cham się wtrącił: Między nami –
   Wiem, co Kanaan na to powie:
   „A paszoł won z tymi klątwami
   Rzucaj ich sobie sto na zdrowie!"

JAK SIĘ BRACIA TRZEJ ROZSTALI, CO SIĘ SEM, CHAM, JAFET ZWALI (Rdz 10, 1, 5, 19, 30)

Ty będziesz Żydem, bracie Sem
Więc musisz odejść precz z tych ziem
Już nie możemy razem żyć
Już nie możemy razem żyć
Gdy ci przypadło Żydem być...
   Nie zawsze bowiem bratnia więź
   Rozbija się o ziemi piędź
   Lecz czasem dzieli ją jak mur
   Lecz czasem dzieli ją jak mur
   Z rasowych przyczyn ostry spór...
Więc wynoś się wraz z trzodą swą
Nie przez to, że mnie Chamem zwą
Ale na zgodę brak już szans
Ale na zgodę brak już szans
Gdy wpadłeś w ten żydowski trans...

My też pójdziemy w siną dal
Do wysp i równin, gór i hal
Bo lepiej odejść, gdy się strach
Bo lepiej odejść, gdy się strach
Potopu wspomnień jawi w snach...
Ja w stronę Gazy ruszam wnet
Tam paść, lub ziemię ryć jak kret
I niech cię strzeże boska dłoń
I niech cię strzeże boska dłoń
By wszedł tam osioł twój lub koń...
Posadzę w ziemi winny krzew
I będę bronił go jak lew
A gdyby coś, to przeklnę cię
A gdyby coś, to przeklnę cię
Jak ojciec Noe wnuki swe...
Przeklnę cię i kradzież twą zuchwałą
Przeklnę cię... coś mi się porąbało...
Na koniec, Semie, przemów cóś
Albo w podskokach stąd jak struś
O, to brzmi jak wojenny akt
O, to brzmi jak wojenny akt
A nie przyjaźni bratniej pakt!
Że co? Szubrawiec, świński ryj?
A won na step, jak wilk tam wyj
Tak wykopałeś topór nam
Tak wykopałeś topór nam
Dla stu pokoleń, jakem Cham!
Ty polityczny jesteś trup
Dla naszych ludzi, szczepów, grup
A my już wkrótce... Jafet, wstań!
A my już wkrótce... Jafet, wstań!
W Sodomie, wśród wesołych pań...
Lecz w wyobraźni widzę już
Sąsiedzkich wojen zgiełk i kurz
I szarpaniny, wuj czy brat

I szarpaniny, wuj czy brat
Wśród murów, gruzów, zdrad i strat...

Na budowie wieży Babel,
gdzie sięgano już do szabel (Rdz 11, 1–4)

Kto chce – niech patrzy krytycznie
Że tak bez dźwigów, wind, żurawi... choć w łeb strzel
Lecz zacofani tak technologicznie
Mamy wizję, mamy cel!
Tak nas
budowa zjednoczy
Wbrew nawisowi, kryzysowi, brakom kadr
Że już więcej nikt nam nie podskoczy
Wieży nie przewróci wiatr!

Zbudujemy drapacz chmur
Wyższy od najwyższych gór
Bo z nas każdy jest jak tur
Fachowiec...
I nie po to Hindukusz
Swój opuścił obunóż
By się spłaszczać wszerz i wzdłuż –
Wędrowiec

I nikt nam nie zrobi nic
Bo jest z nami majster Rydz
Więc niech każdy gap i widz
Zaśpiewa –
Niech się mury pną do góry
Kiedy dłonie chętne są
Budujemy aż pod chmury
Wieżę swą!

– Marnowanie sił i środków!
– Kpiny z czci i kultu przodków!
– To oszołomstwo, kicz i dziwactwo
Gorszy niż zbrodnia, czyn – świętokradztwo!
– A ten, kto rzuca wyzwanie Niebu
Niech wpierw ustali datę pogrzebu!
– Co to za wrzaski? Ciszej tam, ciemnoto
Zasługujecie, by nazwać was hołotą!
Ta wieża, to cud architektury

Triumf techniki, pałac kultury
Wynik współpracy wielu artystów
Szewców, piekarzy oraz biblistów
Więc zamknąć...
– Co ci się w tym łbie telepie?
Ty głupi Żydzie, chcesz po czerepie?
Drogi budować, zagrody, szałasy, płoty
A nie pomniki czyjejś głupoty
Bo jak mróz przyjdzie albo zawieja...
– Łapać złodzieja! Łapać złodzieja!
– Patrz ideowo! Bo choć wyszliśmy z jaskiń i dziupli
A i postura nie przypomina tamtych kurdupli
To lud ma już dosyć codziennej swej szarzyzny
Oswajania zwierzaków, biedy i pańszczyzny
Trzeba więc, by nabożnie spoglądał na wieżę
I był pewien, że ona broni go i strzeże!
– A co na to ci w czarnym, co się na wszystkim znają?
– Ciii... tu nawet ściany uszy mają...
– Kupujcie bubliczki
Ciasteczka, pierniczki...
– I co powiesz? Nie widziałem takiego olbrzyma...
Ze sześć pięter, ho, ho, ho!
– Mam w kieszeni jakieś szkło
Chodźmy w krzaki, wypijemy, to dłużej wytrzyma!
– Co mówisz? Opamiętaj się ty nieszczęsny chłopie
Módl się, i nie grzesz więcej, pamiętaj o potopie!
– Co tu się dzieje? Co za element, anarchiści, narodowcy?
Rrrozejść mi się stąd, spiskowcy!

Języków straszne pomieszanie (Rdz 11, 5–7)

– Widziałeś, sąsiad, tak piękną katastrofę?
Ten grom, ten złom

184

Ten krzyk, ten ryk
I ten pędzący tłum?
– Piong liang, kurykuku, negra kofe
Navigare, arka, prom
Afieralnyj myk
Samba, rumba, katakumba, bum, bum!
O tempora, o mores
Rwetes, giewałt, rumores!

PO CO ABRAM DO EGIPTU WĘDROWAŁ (Rdz 12, 11–13)

Rzekł w drodze Abram do swej żony: „Saraj
By mi się dobrze wiodło, się postaraj
Faraon… ten, który rządzi tu nad Nilem
Może mnie unicestwić krokodylem
Albo też uszy każe obciąć wstępnie
By potem oskalpować, otruć lub zadźgać podstępnie
Jego siepacze się nie cofną przed brutalną siłą
Ażeby żywot mój zakończył się mogiłą
A wszystko przez to, moje złotko
Żeś wszędzie znaną jest ślicznotką
A pan faraon i dworzanie
Wrażliwi na to niesłychanie…
Ten… hm, hm… wielbłąd… bydlę… tak trzęsie i kołysze
Że mniej… znaczy, tego… siedzę, więcej wiszę…
Więc kiedy cię wypatrzą… a tak będzie
I oszacują w jubilerskim swym urzędzie
Brylantem dla nich staniesz się bezcennym
Ja za to sprzętem zbędnym im, kuchennym
A wtedy… no, popatrz tylko, Saraj, co za zbieg…
Pewnie to jeden taki jest na wiek
Wraca mi teraz właśnie pamięć… mówiąc prosto
Chyba przypomnę sobie zaraz, że jesteś moją siostrą!

Aaa, że przyrodnią? Niech tam będzie…
Lecz to rozgłaszać trzeba wszędzie!
Faraon cię ustroi w złoto i szafiry
A mnie nie będą szarpać jego zbiry
Chcesz? Kupię ci pończochy i korale
Sukienki, tiule i perkale…
Brzydki handelek? Jak mawiał stary Peres
Miłość miłością – interes jest interes!
Zresztą, żyć będziesz z faraonem jak królewna
A twój Abramek – zamiast on ze zgryzoty jak kawałek drewna
Być na podpałkę – ocali życie i może w nagrodę
Otrzyma złoto, niewolników oraz trzodę?
I będzie pięknie, Saraj… lecz my już na granicy
A tam się kręcą jacyś ludzie… nie wszyscy to celnicy…
Więc odsłoń nóżkę… jeszcze troszkę
I pokaż wyżej tę pończoszkę
Bluzeczkę rozwiąż… o tak właśnie…
Zaraz ci strażnik w daszek trzaśnie
I jak ćmy wszyscy tu się zlecą
I oczy im się w mig zaświecą
Bo mnie znajomość życia nie zawodzi
Widzę, że już rozumiesz, o co chodzi…

Telegram do Najwyższego (Rdz 18, 20–21)

Donoszę, Panie, co patrzysz na nas z góry – Bo wolę to,
niźli do prokuratury – Że źle się dzieje w jednej takiej
Gomorze – Ale w Sodomie jeszcze gorzej – W obu tych
miastach rozpusta i pijaństwo – I w ogóle, rzec można,
łajdactwo oraz draństwo – A wśród mieszkańców Natan jest najgorszy – Choć niby rybak on od leszczy czy

też dorszy – To wstąpił w niego jakiś szatan – I kurę ukradł mi ów Natan – Wypiera się wszystkiego ten łotr, lecz na podwórku – Tę moją kurę w budzie trzyma on na sznurku – Więc, Panie, który przebywasz tam na chmurze – Nie daj w łapach Natana zginąć mojej kurze – Łatwo rozpoznasz Panie, tego gada – Bo mordę kryminalną on posiada – Oto jaki element mieszka w tym, co winno zwać się wioską – Dlatego patrzę nań z obywatelską troską – I widzę te ponure zapijaczone gęby – Więc może ich ciupasem, w dwuszeregu w kamasze? – I zaordynować im jakąś końską paszę – Lub jak tłustym chrząkaczom z pokrzywami otręby? – A najlepiej tych zuchów, podpieraczy parkanów – Wysłać z misją daleko, gdzieś do Barbarystanu – Zwłaszcza tego Natana, co skradł moją kurę i kozę – I niech go tam tubylcy kijem, i w niewolę powrozem – Za to, że mnie pozbawił smakowitej potrawy – Rosołku z makaronem i jarzynkami z własnej ekouprawy – Zasianymi w terminach wyznaczonych przez wróżkę – Hej, kiedy wspomnę tę marchewkę, pietruszkę! – Zatem Sodoma i Gomora… zgroza – Choć to naszej epoki powszechność, czyli proza – Tam zła wszelkiego wylęgarnia – Które się pleni bujnym chwastem – I wciąga okolice, niby ćmy latarnia – Do tego w wiosce zwanej miastem – Kobiety, czy zamożne, czy te w niedostatku – Z upodobaniem dążą do upadku – W ogóle to jaskinia hazardu i obżarstwa – Gdzie motłoch bałwochwalczy pyszni się z niedowiarstwa – Więc w tym nie może zabraknąć tego zbója Natana – Który mi ukradł kurę, kozę i osła lub barana – Oto Twoi wyznawcy, Panie… nieznane mi Twe plany – Lecz spełniam obowiązek – Życzliwy i oddany – Eli, syn Amiszaddaja – Szu-arim, pierwsza chata z kraja – Stop.

Rozmowy dyplomatyczne Abrahama z Panem
(Rdz 18, 22–33)

– Panie – mówił Abraham – gdy chcesz ukarać w Sodomie
grzesznych łobuzów
Masz niewątpliwie w tym swoje racje…
Ja jednak – proch Twój – chciałbym choć kilku oszczędzić zguby,
a miastu gruzów
Może zaczniemy więc pertraktacje?
Więc gdyby chociaż pięćdziesięciu zgnilizny uniknęło moralnej
To – od formuły odchodząc doktrynalnej
Czy mógłbyś zmodyfikować swój plan zagłady świetny
Na bardziej optymalny, chociaż nie mniej konkretny?
Może – z całym szacunkiem – przez wzgląd na sprawiedliwych
Oszczędzisz także innych – tych w grzechach swych szczęśliwych?
Wiedziałem, że tak się stanie…
Zatem dzięki Ci, Panie!
Lecz gdyby jednak… hm… zapytam tu nieśmiało
Gdyby o pięciu mniej znaleźć Ci się udało
Czy wtedy miast nie zdmuchniesz, jak wiatr zwykł czynić z puchem?
O, dzięki, Panie – wspaniałomyślni są tylko wielcy duchem!
Ale weźmy czterdziestu – liczbę okrągłą oraz świętą…
Jeśli dla tylu dobrych do innych gniew swój wstrzymasz
A wszakże dla nich wszystkich klucz przebaczenia Ty masz –
Uczcimy Cię ofiarnym wołem oraz orkiestrą dętą
Więc, Panie Nieskończony – jakże będzie?
Hip, hip… to jest, Twą chwałę będę głosił wszędzie!
Tutaj Abraham pogładził się po brodzie
I poczuł się jak szlachcic, co równy wojewodzie
– Skoro – pomyślał – już rozkręciłem polemiczną huśtawkę
To trzeba jeszcze bardziej podbić licytacyjną stawkę…
– Panie – rzekł – jestem tylko marnym padalcem i zakalcem
A może nawet godnym poskromienia zuchwalcem…
Lecz gdyby nie stoczyło się choć trzydziestu mieszkańców

To wygubisz ich także wśród grzesznych popaprańców?
Czyż godzi się zadeptać, by uniknąć pomoru
Również te zdrowe grzyby w plantacji muchomorów?
Nie? Nawet nie wspomnę, że jestem zaskoczony
Bo znam Cię, Panie, już z najlepszej strony!
Ale... gdyby wśród licznych tam opryszków
Z wyglądu modelowych bazyliszków –
Dwudziestu się nie pogrążyło w bagnie
Które w otchłań występku wciągnąć pragnie?
Dzięki Ci, Panie... wielkie dzięki
Już wkrótce koniec Twej udręki!
Tak, wiem – wyschnięte na pustyni, trawy i sępa kości
Są przy mnie w Twoich oczach perłą urody i mądrości...
Lecz pozwól... czyż przy dziesięciu zdemaskowanych tam uczciwych
Dotkniesz karzącą ręką grzesznych, leniwych, gadatliwych?
Wzniecisz pożary i pozostawisz zgliszcza
Gdy brak strażaka ogniomistrza?
Czyż to na Twoją miarę, by poświęcać uwagę dwom paskudnym grajdołkom
I tym w nich urzędowo stwierdzonym półgłówkom i matołkom?
– Dosyć – powiedział Pan... Dziesięciu to liczba ostateczna
Lub zginie cała gawiedź – przebrzydła i wszeteczna
Widziałem wszystko – lecz pierwszy raz się zdarza
Napotkać upartego takiego jak ty, nudziarza
Skąd ci się wzięło usłużne tak zapobieganie
Mej karze i zagładzie, których nie miałem w planie?
Lecz skoro otrzymałem już taką inspirację...
Dopuszczam, że w swej marności możesz mieć małą rację
Przeto się nie wycofam z tego, co już przyrzekłem
Ale bez tych dziesięciu zakończę mą kontrolę piekłem!
– I troszcz się tu – zasępił się Abraham – o cudze interesy...
Widocznie politykiem jestem marnym
Że też mnie podkusiło być ofiarnym!
Więc wracam zły do domu... dobrze, że blisko są delikatesy!

ZAGŁADA SODOMY – UKARANIE GRZECHÓW LICZNYCH LUDZI MAŁO SYMPATYCZNYCH

(Rdz 18, 20–21; 19, 1–11; 23–24)

– Achim, słyszałeś o tym? Ktoś po ulicach krąży
Każdego, kogo spotka, wypytuje i drąży
Mówił mi o tym Omar... ten, co mieszka naprzeciw
Że gratulując mu, odszedł, mówiąc: dopiero trzeci...
Ale Omar – łeb tępy, nie kręcił i nie zełgał
Powiedział, że tak, owszem, i nawet się przeżegnał!
– Nic nie wiem – odrzekł Achim – odgadnąć nam to gdybyż...
Więc kto to jest, co liczy, co chce wiedzieć ów przybysz?
– Tylko tyle wiadomo, że ów mąż, dość sędziwy
Pyta: Czy jesteś synu, uczciwy i sprawiedliwy?
– Pytać o to w Sodomie? Chyba kpisz sobie, chłopie!
– Mówił też coś o karze, wspominał o potopie...
– A tak, ponoć zdarzył się taki naszym prapradradziadkom
Szczęściem, nic nie przeszkodził dalszym grzesznym upadkom
Z których jesteśmy znani wszędzie...
Hej, dobrze tkwić z uporem w błędzie!
A ten sondaż...to jakby zrobić lwu zabawę
Pytając go, czy lubi trawę!
Wszak gdyby każdy z nas nie był łgarzem
Pijakiem, łapówkarzem
Karciarzem, sodomitą
Złodziejem, hipokrytą
Bluźniercą i oszczercą
Prześmiewcą, przeniewiercą
Oszustem lub dziwkarzem
I zwykłym zadymiarzem –
To nie byłby mieszkańcem naszego czcigodnego miasta
Gdzie się w zaułkach ciemnych fachowo nożem chlasta
I gdzie podobnie śmiesznych rzeczy liczba spora
Którym dorównać może tylko już Gomora!

– Ale i ja opowiem ci, Jalamie
Pewien przypadek… i może mało skłamię
Wczoraj, po południu, do Lota…
– Do tego młota?
– Do niego właśnie, przybyli jacyś dwaj cywile
No, to my w siebie trzy promile
I udaliśmy się z wizytą…
„Otwieraj, Locie, i pokaż swoich gości
By poswawolić z nimi, albo ci połamiemy kości
I rozwalimy twą chałupę – po co ci to?"
– A on? – O obyczajach coś bajdurzył
Które mu gości chronić każą
I aby wyjść wobec nich z twarzą
W zamian chciał ofiarować swoje córki
A nas uformować do nich w czwórki…
Żandarm on jakiś czy wojskowy?
Pogonić go – zbyt honorowy!
Więc tym gadulstwem tak nas znużył
Że wszyscy padliśmy pokotem
Pod jakimś drzewem albo płotem
A może też w tej całej scenie
Procenty siały spustoszenie?
– W takich głowach? – rzekł Jalam – prędzej czary
Przerwały wam te szlachetne zamiary
Ale to nic… dziś wieczór, po zachodzie
Gdy zdążysz coś zrujnować w swej zagrodzie
Wpadnij do Klubu Rzezimieszka
Albo Starego Rozpustnika
– Do tych mordowni?
– Wszyscy tam idą… tubylcy i pasterze wędrowni
Nie musi mówić ci koleżka
Wiesz, że to miejsce nie dla pustelnika
I jakie sztuczki robią tam panienki
Tylko w naszyjnik z muszli ustrojone!

Więc zostaw dzieci, zostaw żonę
Zwłaszcza, że dzisiaj... he, he! – swoje wdzięki
Zademonstruje, w ramach wymiany kulturalnej
Z Gomory, Zespół Odnowy Niemoralnej
Będzie wesoło...
– Jalam, co to za ogień, dym i grzmot?
– Uciekać! Tam pali się już pies czy kot
I lecą z góry jakieś głazy...
– Aj, rwetes, Jalam... gorąco gorsze od zarazy!
– Na mnie się smoła leje, parzy...
Żeby tych naszych dygnitarzy!
– Ratunku, Jalam! W tym dymie nic nie widzę...
– To piekło, Achim! Już nie zagramy w pierwszej lidze!
– Mówiłeś coś? Nie słyszę!
– Myślisz, że ci napiszę?
– Jalam!
– Achim!

JAK ŻONA LOTA SŁUPEM SOLI ZOSTAŁA (Rdz 19, 26)

– Co mówisz, ojcze – ten posąg z soli to nasza mama?
– Tak, bo gdy ciekawość ją gryzła, jak widać, niezdrowa
To jej się wbrew zakazowi Pana odwróciła głowa...
Bo też trudno się oprzeć, kiedy z tyłu, tak blisko
W Sodomie ogień z nieba i siarka... piękne widowisko!
Lecz choć to smutne, to i piękniejsza z nią panorama...
Cóż, chcąc obejrzeć zagładę miasta, tak niecodzienną
Można przyprawą stać się cenioną – solą kamienną!

RADOŚĆ W OKOLICY (Rdz 19, 26)

Sól, ach sól, dar bogów, przysmak godny święta i postu
Szkoda, że żona Lota była tak nikczemnego wzrostu!

ABRAHAM I OFIARA IZAAKA (Rdz 2, 1–10, 13)

Nie trzynastego dziś i nie piątek
I czarny kot mi nie przebiegł drogi
A jednak góry tej już początek
Wielkim ciężarem plącze mi nogi
Nóż niosę w ręku, drwa i pochodnię
I trzęsą mi się z lęku kolana
Bo muszę straszną wykonać zbrodnię
Na Izaaku, rozkazem Pana
Więc ciałem trwożne wstrząsają dreszcze
I zimny pot mi po plecach spływa...
Tu rzekł Izaak: – Oczy wytrzeszczę
Bo pewnie gdzieś się baran ukrywa
To jego zdzielisz po gardle nożem
Gdy będzie drugi – baranów parę
Rozpalisz ogień, złożysz na rożen
A Pan łaskawie przyjmie ofiarę!
I tak zakończy on swoją próbę
Tym posłuszeństwa eksperymentem...
– Tak – rzekł Abraham – bo twoją zgubę
Chciałem wykonać, chociaż ze wstrętem!
– Więc się otrząśnij ze wstrząsów, tatku
Niech się uziemią dreszcze i prądy
I z psychicznego powstań upadku –
Porzuć wstrząsawki, drgawki, przesądy!

**JAK JAKUB PODSTĘPEM UZYSKAŁ
BŁOGOSŁAWIEŃSTWO OJCA, OSZUKUJĄC BRATA**
(Rdz 27, 1–41; 25, 29–34)

– Złe wieści są, Jakubie... twój ojciec już blisko jest
zaświatów
Ale słyszałam, jak kazał twemu bratu

Upolować smacznego coś do jedzonka
Najlepiej antylopę lub jelonka
A wiesz, jaki jest z niego smakosz
Co się objawia w zdrobnieniach potraw takoż!
A po wyżerce z winem, gdy skończy się zabawa
On swym błogosławieństwem obdarzyć chce Ezawa!
– O żesz taki owaki… – powiedział Jakub – więc gdyby wykorkował…
– To pewne – rzekła Rebeka – tu nie pomoże nawet konował
Ale wtedy to Ezaw zyska profity głowy rodu
A reszta będzie służyć, a nawet zdychać z głodu
To on otrzyma wszystko – zwierzęta, studnie, pole
A ty dostaniesz zboże… do młócenia w stodole!
I będziesz musiał pasać, siać i orać jego kawał Afryki
Tępić ślimaki, grabić liście, zbierać kasztany i patyki
I z całą resztą rodu będziesz zerem
Bo nawet nie kamerdynerem!
– Ezaw mi się zrzekł pierwszeństwa sam
Za chleb i soczewicy miskę
A więc w zasadzie może teraz nam
Najwyżej naurągać pyskiem!
– Tak, wiem – rzekła Rebeka – chwaliłeś się tym, jakbyś był ludożercą
Lecz świadków brak, a ojca znak zrobi Ezawa spadkobiercą…
Ale to ty nim musisz być… nie ma czasu
Trzeba natychmiast działać, nim Ezaw wróci z lasu
Więc by pomyślnie załatwić naszą sprawę
Zaraz Izaakowi zrobię, taką jak chce potrawę!
– Chociaż on niedowidzi, podejść go nie jest łatwo…
Z pewnością nie pomyli sarniny z kuropatwą!
– Będzie miał swą sarninę, lecz zrobioną z koziołka
Z grzybkami, buraczkami albo sałatką szparagową
A ty będziesz udawał starszego brata… no, rusz głową…
I w ten sposób wytniemy im pięknego, łamanego fikołka!
– Ezaw – powiedział Jakub – jest, jakby to rzec… małpiasty
Z tym swoim owłosieniem szczeciniastym

A ojciec nie jest w ciemię bity
Lecz czujny i wrażliwy jak termity
Wszystko rozpozna dotykiem i zapachem...
A wtedy ja wylecę stamtąd dachem!
– Jakubie, kozioł ma nie tylko mięso, lecz i skórę
I to z niej zrobię ci włochaty garniturek
A resztę musisz sam zagrać teatralnie...
– Świetnie! – zawołał Jakub – po prostu genialnie!

– Ojcze mój, Izaaku – mówił Jakub – przynoszę ci tu, prosto z rusztu
Pieczyste z sarny czy jelonka... wiem, że cię to ucieszy
A oto moja głowa... więc swoje ręce złóż tu
I daj błogosławieństwo, bo mi się bardzo spieszy!
– Zaraz, powoli... – rzekł Izaak – czy tu ktoś nic nie knuje?
Jak mogłeś upolować tak szybko tego zwierza?
Zwłaszcza że nie odróżniasz nawet kota od jeża
Choć skoro sam nie wiesz, co ubiłeś, to do ciebie pasuje
Ale ten głos mi dziwnie przypomina Jakuba...
Więc czy ty jesteś Ezaw, czy to tylko podróba?
– Pewnie, że Ezaw jestem... a głos ma Jakubową chrypkę
Bo zgrzałem się w pościgu, no i złapałem grypkę...
Ale dość tego będzie... dotknij mych rąk i szyi, jak owłosione
I czeka już pieczyste, pachnące i pięknie przyprawione...
– Dawaj tu! – rzekł Izaak – niech mi się uraduje serce
Nad dymiącym półmiskiem, przy wspaniałej wyżerce!
Ach, cóż to za smak wyborny, godny królewskich stołów
Czemuś mi nie przyrządził jeszcze garnka rosołu?
Jarzynki, mięsko z gamą pikantnych przypraw wschodnich
Niech mi więc pozazdroszczą ci, którzy bywają głodni
Gdyby jeszcze wątróbka, paróweczki z musztardą
Gęś w maladze, pasztecik, jaja z szynką na twardo...
O, jest i wino słoneczne... ten smak, bukiet, aromat
Dla szlachetnych podniebień... choćby dmuchać w alkomat!

Nalej mi tu raz jeszcze w to naczynie gliniane
Kto powiedział, że trzeźwy muszę stanąć przed Panem?
Dobrze jest żyć, Ezawie, czy jak ci tam... mógłbym tak do wieczora
Pobłogosławić? Chętnie, nawet mojego poczciwego Azora!
Odtąd zatem, mój synu, zwyczajem od potopu
Całą swoją rodzinę możesz brać do galopu
Inni też mają służyć, dać pokłony i być twoją słuchawką
Chociaż to zwykle są zuchwalcy, chętni cię złożyć pod murawką
Więc niech rosy i deszcze spadają na twe pole
I niechaj niezbyt gęsto zakwitną w nim kąkole
Spraw, by obcym twe zboża wydawały się gajem
Winnice zaś rodziły burgundem i tokajem
Twych wrogów oby gryzły komary, muchy, węże
A zdrowie i odporność niech będą twym orężem
Nie wybij oka niewolnicy, kierując się popędliwością
Bo wtedy, jak jest w Piśmie, musisz obdarzyć ją wolnością
I niech będzie przeklęty ten, kto by ci złorzeczył
A kiedy trąd go dotknie, oby się nie wyleczył
I obyś z sąsiadami, tak jak Pawlak z Kargulem
Teraz... hrr, hrr... się trochę zdrzemnę... i ten tego w ogóle...

I było tak, że Jakub, stojąc jak rotmistrz przed hetmanem
Rzekł do matki Rebeki: Melduję, zadanie wykonane!

A kiedy wkrótce potem Ezaw powrócił z polowania
I poznał, że utracił spadek i mir rodowy –
Poczuł, że w ich obronie na bój jest iść gotowy
Lecz zaczął od złorzeczeń oraz lamentowania
– O, ja nieszczęsny – krzyczał – jestem skończony! – biadał
– Będę bankrut, niewolnik, roboczy wół na życia resztę
Pobłogosławić, ojcze, tego oszusta, przechrztę
Który się w twoje łaski, jakimś zdechlakiem wkradał?
Ale tak być nie może, mój tatku łatwowierny

Daj mi, okradzionemu przez mego brata szuję
Swoje błogosławieństwo, których ci nie brakuje
Bym też miał bukiet potraw, a zwłaszcza tych koszernych!
– Cóż tam słowa – rzekł Izaak – choćby głośne jak tuba
Gdy rozdałem już prawa, obowiązki, majątek…
– Zatem – obiecał Ezaw – w ten lub następny piątek
Gdy wyciągniesz już nogi, to zabiję Jakuba!

UCIECZKA JAKUBA (1) (Rdz 27, 42–45; 28, 10–11)

Pokładając ufność w Panu
Biegnę truchtem do Charanu
By u wuja schronu szukać
Skoro brat chce mnie zaciukać
Owszem, z matką swą, zbiorowo
Wykonałem koncertowo
Oszukańczą maskaradę
Podstęp, szwindel, nawet zdradę
Lecz czy powód to, by czaszkę
Pałką strzaskać mi jak blaszkę?
Biegnę całe popołudnie
I już w oczach brzuch mi chudnie
I w klatce mnie ogień pali
A w głowie jak młotkiem wali
W perspektywie żywot taki:
Chlebem – myszy, domem – krzaki
Lecz wolę tu poniewierkę
Niż tam Ezawa siekierkę
Dość już o tym… teraz, Kuba
Czeka cię wnet przykrość gruba –
Spanie z głową na kamieniu
Przy głodowym otępieniu

Choć jak wszyscy twierdzą zgodnie
Tak jest miękko i wygodnie!

SEN JAKUBA (Rdz 28, 12–15)

Aniołowie niebiescy – myślał Jakub – w dół i górę
Bez sensu chodzą po drabinie
Może swą sprawność ćwiczą lub podpierają chmurę
A trzej żonglują też na linie…
Lecz, gdybym sam, mógł się bez strachu wdrapać, albo wspiąć
To po rozmowach z Niebios Panem
Zrobiłbym, dostając zgodę na model *dziel i rządź*
Porządek z ziemskim bałaganem!
Co słyszę? Pan ziemię przyrzekł mi, bogactwo i partnerstwo
Po mienie bym nie sięgał cudze
Lecz czy – niech ta wątpliwość nie zabrzmi jak bluźnierstwo –
Tak będzie, kiedy się obudzę?

UCIECZKA JAKUBA (2) (Rdz 28, 18–22)

Świt… blask słońca prosto w oczy
A poza mną sen proroczy
Dobrze zbyt w pamięci go mam
By to był diabelski omam…
Widzę – Pan chce mi dać życiową
Przestrzeń czterokierunkową
I potomstwo jak pył liczne
Więc nadmiarem swym – tragiczne
Są ruchliwe niby pszczoły
Śnieżnobiałe cud-anioły
Na drabinie lśniącej, nowej
Złocistej, tysiącstopniowej

Lecz – po przygodzie z Ezawem
Chociaż nieco sprzecznej z prawem
Wiem, że nie filozoficznie
Lecz myśleć trzeba praktycznie...
Jeśli więc Pan będzie ze mną
Nie z figurą złą, nikczemną
Wskaże drogę pustką, lasem
Bym szedł pewnie, jak z kompasem
Ochroni przed gradobiciem
Zaopatrzy mnie obficie
Dając mocą swoją świętą
Chleb, kiełbasy wiejskiej pęto
Ananasy, śledzie, szynkę
I codzienną piwa skrzynkę
Szaty mocne, drelichowe
I sombrero da na głowę
Buty piękne jak ze sklepu
W miejsce moich starych trepów
Zdrową trzustkę i wątrobę
W barach czynnych całą dobę
Stado owiec z gęstą wełną
I sakiewkę złota pełną
Da do domu wrócić w zdrowiu
Choć brat z pałką w pogotowiu –
To – klnę się nie pod batogiem
Że Pan będzie moim Bogiem!
I że z nim, gdy da mi wiele –
Dziesięciną się podzielę
Jeśli nie – to wnet odczuje...
W końcu bogów nie brakuje
Wśród Chittytów, Moabitów
Filistynów, Troglodytów
Dobrych, groźnych, mięsożernych –
Wybór bogów jest obszerny!

Kto tej wiedzy nie ma w głowie
Temu ją Pięcioksiąg powie!

JAKUB NA SŁUŻBIE – CZYLI UCIECZKA PRZED ZEMSTĄ BRATA KOSZTEM NIEWOLI PRZEZ DŁUGIE LATA (Rdz 29, 18–30)

– Wuju Labanie – rzekł Jakub – co jest, do stu szatanów?
Czy ci pamięć odjęło o tym, że dałeś słowo?
Nie strugaj tu wariata, lecz mocno się zastanów…
Choć jesteś wyzyskiwacz – umowa jest umową!
Nie uroniłem w służbie z twych dóbr ani okruszka
Troszczyłem się o stada, studnie oraz bimbrownie
A ty mnie drugą córkę dzisiaj wpychasz do łóżka
By w ten sposób ujarzmić na lat siedem ponownie?
Tyrałem tu jak dureń, pasterz, osioł i drwal –
Więc zabieram Rachelę i ruszam w siną dal!
– Tere fere – rzekł Laban – wiem ja dobrze, Jakubie
Że niejedną owieczkę przekręciłeś na rożnie
I tęgo balowałeś z dwu promilami w czubie
Chcesz powiedzieć, że wtedy byłeś chory obłożnie?
– Moi wrogowie nie śpią… to zemsta polityczna
Lecz mówmy o pryncypiach, nie złośliwych kundelkach
Których mnie po nogawkach szarpie gromada liczna…
Nie dam ci się powiesić na moich własnych szelkach!
– Wolny rynek – rzekł Laban – i znasz moje warunki…
– Mylisz się, ty krwiopijco, system jest niewolniczy!
– Niech ci będzie, mądralo… niewolnicze stosunki
Tym łatwiej cię pozwolą w poczet rabów zaliczyć!
Lecz epoka epoką – ty nie będziesz skrzywdzony
Oszczędzając, wnet zakład kupisz sobie krawiecki
No i będziesz miał zdrowe, pracowite dwie żony
Prawie jak chan mongolski albo sułtan turecki!

I to wszystko za głupie tylko siedem lat służby...
– Twa łaskawość, Labanie, jest większa niż te góry
Potem pewnie usłyszę: trzeci raz to powtórzmy
I w ten sposób tu dotrwam aż do emerytury!
– Niezły pomysł – rzekł Laban – choć cel trochę odległy
Szkoda, że trzeciej córki brak mi już w ewidencji
Mógłbyś też kuć podkowy albo wypalać cegły...
Rzec chciałem, że szacunek mam dla twych kompetencji!
– Ty stary obłudniku... ja nie jestem matołem
Twoje syrenie śpiewy, te zagrywki sułtanem
Lewe karty w rękawie, as trzymany pod stołem
Zrywam traktat, odchodzę... – Idź, lecz masz za sobą ścianę!

**Jak przez braci jedenastu Józef do studni
wrzucony, został sprzedany w niewolę –
co miało swe dobre strony** (Rdz 37, 3–11; 23–28)

– Wskakuj do studni... ma się rozumieć, że dobrowolnie!
Nie martw się, nawet nie postawimy przy tobie straży...
I tak dość długo stamtąd oglądać będziesz oddolnie
Słońce i gwiazdy... chyba że cud się jakiś wydarzy!
– Hop, hop, bracie Józefie, jak ci się podróż na dół udała?
– Czy nie złamałeś sobie giczała?
– I czy wygodnie jest ci tam na dnie?
– Co, nie ma wody? Ach, jaka szkoda!
– Ucierpi na tym twoja uroda...
– Przez to, że chciałeś sługi z nas swoje zrobić szkaradnie!
– Myślałeś, ojca będąc pieszczochem
Że my będziemy przy tobie prochem?
– I że będziesz urządzał z nami takie szopki
Jak w tym śnie, w którym kłanialiśmy się ci jako snopki?
– Że nie wspomnimy już o innym, z gwiazd paradą
A tak naprawdę z nami, którzy przed tobą, niby królem,
w krąg się kładą!

– No, ale doigrałeś się nareszcie...
– Lecz czuj się dobrze tam na dole, jak w areszcie!
– A gdy ci się już znudzi w studni, Ziutek
To zbieraj grzybki, zrób spacerek, a rankiem zapiej jak kogutek...
– Tylko nie ubrudź sobie pięknej szaty z rękawami
Którą ci tatko sprawił i przyozdobił cekinami!
– Pokaż ją, gdy ktoś do ciebie wpadnie przez przypadek...
– Bądź zdrów! Ty tu zostajesz, a my idziemy na obiadek!
Lecz nim studzienne przeżył tortury
Józef usłyszał gwar głosów z góry...

– Ej, ty tam w studni! Twoja czarna godzina
Jeszcze nie nadeszła... patrz tutaj, oto lina...
– Więc wdrap się po niej... wszak wiedzą nawet pod równikiem
Że jesteś znakomitym wspinaczem oraz taternikiem!
– Jeśli ci ciasno było w studni, to, szczęściarzu
Ciesz się, bo zamiast mizernego w niej metrażu
Będziesz w podróży miał wokół przestrzeń tak szeroką
Że nie ogarnie wzrokiem jej twe prawe, ni lewe oko!
– Co to jest, braciszkowie? – spytał Józef – nie mogę wprost uwierzyć...
– Pewnie, bo mało komu dane jest w studni przeżyć
– Odmienił się twój los
Kiedy nam w grę wszedł trzos...
– Czyli handlarze, którzy jadą, przypadkiem rzadkim niesłychanie...
– Sprzedamy cię więc tym zacnym ludziom w wędrownej karawanie!
– I tak wyjdziemy z tej afery, jak nam ojcowie każą:
Czyli korzystnie finansowo, a i moralnie – z twarzą!
Sprzedać brata jak osła? Rzecz napełnia trwogą...
Więc rzekł Józef do braci: – Zapłacicie drogo!
Lecz zanim Pan swym gniewem w was uderzy
Mnie za udział w transakcji garść złota się należy!

Józef wśród handlarzy żywym towarem (Rdz)

– Ja protestuję dosyć gwałtownie...
To jest łamanie prawa człowieka!
Zdjąć te łańcuchy lub chociaż luźniej
Moralne karły, czyli krasnale!!!
– He, he... słyszycie, co on tu szczeka?
Trzeba się było nie rodzić wcale
Albo też trzy tysiące lat później...
Dziś załatwiamy wszystko odmownie!
– Skończyłbyś w studni wyschniętym kijem
Spełniając braci zemstę okrutną...
Więc nam podziękuj i nie kłap ryjem
Bo tu najwyżej nogę ci utną!
– Dzięki – rzekł Józef – że nie patykiem
Lecz będę, czym lubię być – niewolnikiem
I by to piękne spełniać zadanie
Dostałem talent i powołanie!

Józef w domu Putyfara (Rdz 37, 36)

– Kupiłem go na targu – rzekł Putyfar – bo chłop mocarny
Więc może mi się przyda gdzieś w wojskowym taborze
Jest zdatny na pustynię, oraz na trud koszmarny
Gdy jak wołu, do orki mu chomąto nałożę...
A na razie niech w kuchni nam obiera cebulę
I uczy się pracować na prymitywnym sprzęcie
Co myślisz, moja droga? – To chłop w każdym szczególe
Już ja znajdę dla niego odpowiednie zajęcie!

Kuszenie Józefa (Rdz 39, 7–9)

– Mój Putyfarek to ciamajda – rzekła Kama – a ty jak
tygrys, jak potęga...
Z nas dwojga to by była para!

– Ach, najpiękniejsza i urocza… gdyby nie ma lojalność, wierność i przysięga!

Odparł Józef, myśląc: Tfuj, maszkara!

JAK TŁUMACZĄC SNY FARAONA, JÓZEF ZOSTAŁ GUBERNATOREM EGIPTU (Rdz 41, 14–43)

– Słyszałem, niewolniku – rzekł Ramzes – że umiesz sny tłumaczyć
Sprawdzimy więc te twoje talenty…
Jeśli zatem siedem krów i siedem kłosów mi się przyśniło –
co by to mogło znaczyć?
Tylko zostaw za ścianą frazesy i wykręty!
– Faraonie – rzekł Józef – pozwól, że twój niegodny sługa
Ryzykując, że pan go grubym słowem obruga
Zapyta, czy gdy z Nilu wyszły we śnie krowy tłuste
Zjadły je krowy chude, niby zając kapustę?
I czy obfite kłosy, gatunkowo dorodne
Zostały pochłonięte przez wyschnięte i głodne?
– Widzę – powiedział Ramzes z tajoną zazdrością –
Że chciałbyś mnie dorównać swą przenikliwością
Bo zdołałeś odgadnąć dość trafnie to i owo
Więc jeśli popracujesz trzydzieści pięć lat głową…
Ale skoro tak łatwe to dla ciebie zajęcie
To objaśnisz sen między jednym a drugim mrugnięciem
Lub jak ty piekarzowi, że zadynda na cedrze
Tak ja tobie przepowiem, że ci się skórę zedrze
Albo każę oprawcom gotować cię w kociołku
Chyba że wolisz piłą szarpanie po gardziołku!
– Z całym szacunkiem, panie… ta łatwość to pozory
Nie istnieją tłumaczeń szablony ani wzory
Sen bowiem to zjawisko jest paranormalne
Które powstaje w naszej podświadomości…
By je odgadnąć, potrzebne napięcie ekstremalne
I stan zawieszonej w przestrzeni duchowości

Do tego trzeba sięgnąć po iluminację optyczną
I wyzwolić energię bioelektromagnetyczną
Pojąć mądrość kabały, z jej całą symboliką
Z uwzględnieniem nauki zwanej metafizyką
A wszystko w dialektycznym rozwoju oraz związku
Na stepach i biegunach, w Kitaju i na Śląsku
Lecz to wiedza tajemna, czyli ezoteryczna
Osnuta mgłą domysłów, stąd jej moc ekstatyczna
Dla zwyczajnych dreptaczy lub tych, co lewitują w chmurach
Więc nie mógłbym jej zdradzić… chyba że na torturach!
– Hej, siepacze! – krzyknął w gniewie faraon
– Panie, już ruszam sprintem
Tylko pozwól, że sięgnę po butelkę z absyntem
By się wzmocnić fizycznie i wzbogacić duchowo
Tak, by twój sen proroczy objaśnić naukowo…
A więc te bujne kłosy i piękne tłuste krowy
Oznaczają urodzaj wysokich jak Kasprowy
Zbóż wszelakich, złocistych z obficie nawodnionych łanów
Lasy palm kokosowych, z orgią małp wśród bananów
W Nilu zaś rozmaitość ryb ogromnych bez ości
Przez co twoi wrogowie popękają z zazdrości
Także motłoch jeść zacznie pieczenie i ostrygi
Na deser zaś daktyle, ananasy i figi
A nawet niewolnicy, z wojennymi jeńcami
Będą mogli do syta objadać się żabami
I nikt nie będzie musiał pościć
Ani ubogich w domu gościć!
– Dobrze, dobrze – rzekł Ramzes – a te krowie szkielety?
– Panie, tylko siedem krów tłustych policzyłeś niestety
Choć przyznaję – niełatwo liczyć nawet do siedmiu we śnie
Bo można coś poplątać lub zbudzić się za wcześnie
A zatem uwzględniając wymienione czynniki
Otrzymujemy drukiem takie oto wyniki:
Po siedmiu latach tłustych nadejdzie, jak to zwykle bywa

Kryzys, głód, nieurodzaj, a z nim nędza, powszechna i dotkliwa
Więc w spichrzach, magazynach trzeba gromadzić zboże
Choć nie na wszystkie klęski metoda ta pomoże
Zwłaszcza że się rozmnożą te paskudne gryzonie
Co zeżrą więcej ziarna, niż trawy zjedzą słonie
Zły duch zakryje słoneczną tarczę
Złośliwie pogłębiając trudności gospodarcze
Do tego bóg ciemności, stosując wulkan na Synaju
Zasypie popiołami niemal trzy czwarte twego kraju...
– Zdaje się, niewolniku – warknął Ramzes – że blisko
jesteś już topora!
– Panie, można ten czas nieszczęsny skrócić
I niepomyślny obrót spraw odwrócić
Jest jeszcze na to odpowiednia pora!
Trzeba tylko wyzwanie rzucić czasom mrocznym
I problem za kark chwycić w przebiegu całorocznym
Wtedy znów skarbiec zapełni się po brzegi
I pomnożą się zwierząt nieskończone szeregi
Krów, koni i wielbłądów, kóz z wełną moherową
Która przez swe chemiczne właściwości
Wywoływania w mózgu zmian i złości
Często w histerię z nienawiścią przeradza się zbiorową...
Z takim zapleczem, panie, będziesz mógł prowadzić
swe ulubione wojny
Zwłaszcza że kraj zamienię w złoty róg obfitości hojny
W którym łąki i gaje na Saharze zakwitną...
Ale w tym celu składam ofertę czołobitną:
Mianuj mnie, panie, zarządcą tego kraju piramid
A uczynię twe życie gładkim niby aksamit!
– Nie łżesz, synu szakala? Mam ci dać gospodarcze stery?
A może chcesz od razu pojechać na galery?
– Stukrotne dzięki, lecz mam dużą ekonomiczną wiedzę...
Pozwól panie, że spiesznie twe obelgi uprzedzę
Wszak zostałem sprzedany za dwadzieścia srebrników

Przez mych braci szubrawców, niby przez rozbójników
Więc znając obrót handlowy, kajdany i obrożę
Nikt mnie już nie zatopi w gospodarczym bajorze!
– Niech tak będzie – rzekł Ramzes – nawet córkę kapłana mogę
ci dać za żonę
Zresztą bojówkarze i tak cię ubiją
Bo obcych rasowo oni w mig wykryją...
Tylko się zastanawiam – czy nie miałbyś ochoty zostać też faraonem?

– Wystarczy – myślał Józef – tym czcicielom świętych żuków i kotów
Zabełtać błękit w głowach
Snem o kłosach i krowach
By wyjść z ciemności egipskich lochów i kryminalnych kłopotów...
A faraonem? Czemu nie, to myśl przednia, mogę być faraonem
Wszak powinno się więźnia i ofiarę reżimu – uhonorować tronem!

Misja zbożowa (Rdz 42, 1–3)

Zafrasowany rzekł Jakub: – Głód zapanował w naszej krainie
A faraoński ten Egipt ma się dobrze i opływa w dostatki
Czarnoksięskie to sztuczki czy ki diabeł? Nam zostaje jedynie
Karawana osiołków i wyprawa po zboże... więc pakować manatki!
Nie żądam, by się sami ochotnicy zgłaszali
Bo to szlak niebezpieczny, z watahami opryszków
Więc nie dwóch, lecz dziesięciu was tam wyślę drągali
Nie czas tkwić przy ognisku, śledziu oraz kieliszku!
Jeśli przez piaskowe zamiecie zbójcom chytrze umkniecie
Pamiętajcie, aby tam po kupiecku płacić z przebiegłym targiem
Upolitycznić, gdyby chcieli zakupy, to ich kijem po grzbiecie
Nam się piramidziarze nie wykręcą strategicznym embargiem!
Włóżcie zboża na osły, więcej niżby uniosły
Choćby nawet ryczały, po ziemi ciągnąc brzuchy
Lepiej, aby od marszu wam kopyta wyrosły
Niż jeść z głodu pająki, pluskwy i karaluchy!

Tam zaś nieraz szpiegostwo, kradzież, wylew Nilu nie w porę
Zarzucają, oskarżą, w loch, i poproszą na tortury
Niejeden tam uwierzył, że jest smokiem, Murzynem i szczypiorem
Niech mi żaden... bo wciągają w pułapkę, z pozorami kultury
   W razie osła ukradną, oszukają psubraty –
   Przeklnę was, wydziedziczę, jak dwa razy dwa, cztery
   Więc niechaj każdy sobie wbije w ten łeb kudłaty...
   Wrzasnęli bracia: – Ramzes, nie z nami te numery!

JÓZEF W EGIPCIE BRACI SPOTYKA
I CO DLA WSZYSTKICH Z TEGO WYNIKA
(Rdz 42, 6–28; 43, 1–3; 44, 1–16; 45, 1–24)

– Ustawcie się tu – powiedział Józef – w jednym rzędzie
Bo mądre i natchnione wygłosić chcę orędzie...
Więc kiedy z Kanaanu wasz patrol głód przypędził
Nie powiem, abym wtedy nadmiernie was oszczędził
I raziłem szpiegostwem jak oszczepem
Za co, jak wiecie, płaci się czerepem...
– Panie – zakrzyknęli bracia w sile jedenastu –
To był zaszczyt, co nas spotkał pierwszy raz tu
Owszem, dziewczyny, w kąpieli gdzieś u źródła
Ale fortece czy przemysłowe pudła?
Na to nogi za krótkie i głowy mamy za ciasne
Lecz choć znamy mądrzejsze, bardziej cenimy własne!
– Wszyscy udają – mówił Józef – powiatowe ciemięgi
Kiedy uniknąć zemsty chcą egipskiej potęgi
Ale zostawmy to... wróciliście ze zbożem...
– Bez Symeona – rzekli – który został w twym lochu czy oborze
Bo zatrzymałeś go, panie, jako gwaranta w kryminalnych szatach
Że przywieziemy tutaj Beniamina, najmłodszego brata!
– I przyjechał na ośle... – stwierdził Józef – czy na mule...
Ale nie będę grzęznął w genetycznym szczególe

Bo mowa o zbożowych zakupach, pieniądzach i sakiewkach
Co tkwiły w waszych workach, jak talibowie w Klewkach
A co się powtórzyło i w drugiej waszej podróży
Choć w torbie Benjamina znalazł się dodatkowo
Resztę braci moralnie obciążając zbiorowo
Srebrny, ozdobny puchar, który do wróżb mi służy
Czyn ten, ma się rozumieć, jest surowo karany
Więc byliście gotowi, stadnie niby barany
Iść w niewolę i dzielnie ciosać kamienne głazy
Choć miotając wśród przekleństw obelżywe wyrazy...
Co w sumie pozytywnie pion i poziom wyraża
W czym jest i zwrot pieniędzy, odkrytych w sakwojażach
Bo choć wam to się zdało działaniem wyższej siły –
To jednak ludzkie ręce tam je chytrze ukryły...
Lecz tu winniście spotkać się z łomotem
Za to milczenie, które nie jest złotem
O waszym bracie, sprzedanym za dwadzieścia srebrników
Jak wół, osioł czy wielbłąd handlarzom niewolników
A skoro nawet grzęznąc w wędrownych tarapatach
Wciąż trzymaliście dystans wobec złych losów brata –
Kto wie, czy nie powinien wkroczyć tu prokurator
W te przemilczenia, krętactwa... i co wy teraz na to?
A oni się poczuli, jakby nagle otwarto ich tajne teczki
Bo przed tym, co sny czyta i wróży wszakże nie ma ucieczki...
Więc ścięła się lodem w żyłach połowy braci krew
I zwłaszcza trzeci oraz siódmy stał z pobladłą twarzą...
– Panie – wołali – sprzedaliśmy brata wędrownym handlarzom
Lecz nie starożytnym prawom i obyczajom wbrew!
– To bardzo elastyczne – mówił Józef – nagięcie paragrafów
Szczęściem, możecie przestać umierać już ze strachu
W mojej mocy jest karać, uwięzić, obsobaczyć
Lecz mogę też nagrodzić, uwolnić lub wybaczyć
Więc wybaczam wam sprzedaż, niewolę i kajdany
Bo to ja jestem Józef, ja, wasz brat ukochany

Ten sam, którego wcześniej wrzuciliście do studni
Gdzie, gdyby nie handlarze, nie przeżyłbym ni dwu dni!
Ach, widzieć jedenaście wytrzeszczonych par oczu
Jak wśród tych, którzy wiszą palcem na skalnym zboczu!
Lecz Józef mówił dalej: – To scena godna filmowego ujęcia...
Więc teraz braciszkowie, pójdźcie w moje objęcia!
– Symeonie!
– Józefie!
– Zabulonie!
– Józefie!
– Danie, Gadzie, Aserze!
– Józefie!
– Issacherze!
– Józefie!
– Judo, Lewi i Benie!
– Józefie!
– Neftali i Rubenie!
– Józefie!
– Czy to już wszyscy? – spytał Józef – bo mogę od początku...
Dobrze... więc wracam do ważnego dalszego ciągu wątku
Oto zdejmuję z was odpowiedzialność
Niesławę czynu i niepoczytalność
To Bóg, kiedy zamierzył doświadczyć obszar głodem
Napełnił wasze serca podbiegunowym chłodem
Abym jako niewolnik osiadł na żyznej glebie
Awansował wysoko, zaś plonami w potrzebie
Dzieląc z państwem skarbonki, mógł obdzielać rozumnie
Rozlicznych głodomorów przybywających tłumnie
Zwłaszcza was w Kanaanie, pierwszej głodowej strefie...
I cóż wy na to? – Krzyknęli: – Mądrze mówisz, Józefie!
– To prawda... – powiedział Józef skromnie
Czegóż innego spodziewać by się po mnie?
Ale teraz do domu czas wam powracać spiesznie
Biorąc w darze wikt, transport oraz odzienie wierzchnie

By tu sprowadzić ojca z rodziną i dobytkiem
Gdyż na ziemi egipskiej chcę go otoczyć zbytkiem
Jak zresztą i ród cały, w ilości... o to mniejsza
Tu osiedlą się w Goszen, gdzie ziemia najżyźniejsza
I otrzymają wszystko: chleb, mięso, wina dzbany
A z nudów mogą łapać żaby i ich bociany
Z was zrobię tam zarządców... w razie buntu fellachów
Z należytym szacunkiem złożycie ich do piachu
Moją, ale i faraona wolą, mocą jego edyktu...
– Czego? – spytali bracia zgodnie
Sadowiąc się bardziej wygodnie
– Ukazu, zarządzenia... wam nie przeszkodzi nikt tu
Ażeby trwać w nieróbstwie, ucztować i świętować
A złym okiem patrzących moralnie napiętnować
Bo to faraon, gdy go doszła wieść
O braci mych przybyciu
Kazał muzykom tworzyć pieśń
O swym szczęśliwym życiu
I wnet polecił twarzy swej
Rozjaśnić się radością
I biegał w kółko, krzycząc: „Hej!"
Trafiony nietrzeźwością
W tej euforii nakazał budowę nowej piramidy
Wołając: „Dać im wszystko i niech przybędą, moje kochane Żydy!".
A potem nagle oklapł i zasiadł znów na tronie
Ja zaś tu zamierzyłem stworzyć naszą kolonię...
– Kolonia! – zachwycił się Neftali – a potem państwo nasze...
Niechętnych – do raportu, buntowników – w kamasze!
– A może Madagaskar... – rozmarzył się Symeon
– Nie jesteśmy mocarstwem! – wtrącił Juda... lub nie on
– Ja – mówił Ruben – mógłbym zostać nawet ambasadorem...
– A ja – rzekł Lewi – rabinem, popem lub przeorem
– Widzę – powiedział Józef – że jest łatwe klecenie takich planów...
Ale teraz do wozów, osłów, zaprzęgów... kłusem do Kanaanu!

Gdzieś w przydrożnym szałasie
Na wieczornym popasie...
– Ha, ha, ha... Zabulonie, polewaj, niechaj to opijemy
To był plan, co się zowie
Taki, daj Boże zdrowie...
Udawać, że Józefa wcale nie poznajemy!

**OTO JAK JÓZEF – MĄDRA GŁOWA –
W EGIPCIE RZĄDY SWE SPRAWOWAŁ** (Rdz 47, 13–25)

Józef bar Jakub... mąż uczony
Darem niezwykłym obdarzony
Snów tłumaczenia i majaczeń
Urojeń oraz wieloznaczeń
Ma dzisiaj w swej dobrotliwości
Czas przeznaczony dla ludności
Właśnie w tumulcie trąb, okrzyków
Wychodzi stu halabardników
Spiker spiżowym głosem woła:
– Niech się pochylą wszystkie czoła!
I oto on... jak prorok nowy
Egiptu mąż opatrznościowy
Pysznią się bielą jego szaty
Na marmurowej tle komnaty...
Wytężmy wzrok, nadstawmy ucho
Gdy napełniając lud otuchą
Udziela się w publicznym trudzie...
– Czego dziś chcecie, dobrzy ludzie?
Tu się na placu robi szum
I chaotycznie woła tłum:

– O panie Safnat Paneachu
Stajemy tutaj pełni strachu

– I czci oraz szacunku, należnego tak Dostojnej Osobie
– Przy której my, to tylko drobna sieczka w żłobie!
– Więc wybacz tę, pogardy godną śmiałość
Przeradzającą się w zuchwałość
Gdy o pieniądzach tu wspomnimy, panie...
– Nie chodzi wszak o dofinansowanie
– Jak to, które w Babilon – Banku się zdarzyło
– I system finansowy naruszyło
– Lecz że pieniądze, które jak zwyczaj każe
A których mieliśmy w nadmiarze...
– Ulokowane w drugim lub trzecim domowym filarze
– Z przeznaczeniem na zakup zboża, a które ty zbierałeś,
składając je najsłuszniej faraonowi w darze
– Wstyd powiedzieć, ale rozpierzchły się, pewnie z powodu
naszej rozrzutności
I tak się oto wyczerpały resztki oszczędności...
– Co tu ukrywać... jesteśmy już bankruty!
– Milcz lepiej, łbie zakuty!
Pan, w swej dobroci, z pewnością nam pomoże
Ma wszak w elewatorach, nagromadzone zboże...
I znajdzie sposób, abyśmy nie pomarli z głodu!
Chociaż o marną chodzi, ale przeważającą część narodu!
Tu Józef wstaje i w skupieniu
Ciało przemieszcza w zamyśleniu
Na czole ma wysiłek twórczy
A zgromadzonym w brzuchu burczy
– Chętnie – powiada – wam pomogę
Za czworonożny wasz inwentarz
Więc lepiej będzie niż na cmentarz
Wyruszyć wnet w powrotną drogę
I przyprowadzić ze swych stajni
To, co ma rogi i kopyta
A w zamian do swej jadłodajni
Zabrać niemały zapas żyta!

Odchodzą więc, radośnie klaszcząc w dłonie
I krzycząc: – Jakie proste! Po co nam krowy, osły, konie?

I znów po roku, w biciu piany
Powtarza się rytuał znany...
– O, panie Safnat Paneachu
My tradycyjnie już o strachu...
– Ale zanudzać nie będziemy, o naszej czci, znanym ci panie kodem
– Ni o szacunku, w tymże duchu
Jak zwyczaj każe, dla rozruchu
– Lecz tak się jakoś składa, że znowu przymieramy głodem...
– I nie tylko pieniędzy, lecz brak i tego, co ma pióra i skrzydła
Zostali tylko, lecz bez zwykłej mocy, czarownicy, ich koty i kropidła...
– Zaś zboże, otrzymane za nasze bydło
Przeżarliśmy, z chciwością wręcz przebrzydłą
– Chociaż jest zdrowo i zbawiennie
Pochłaniać jedno ziarno dziennie!
– Więc oto wnioski po naradach z starszymi rodu...
– Którzy w swojej mądrości, umarli właśnie z głodu
Skoro nam nic nie pozostało
Bo tylko ziemia oraz ciało –
To wykup, panie, naszą ziemię
I wolność, co w nas jeszcze drzemie
– Choć niepotrzebnie, uznaliśmy... niech wie Dostojna to Osoba
Że niewolnictwo nam bardzo się podoba
– Jak wołał sułtan, oraz chan –
Niech żyje niewolniczy stan!
– Czego przykładem słynny Wuj Tom jest niewątpliwie
Który pracował nieustannie, wydajnie i gorliwie
I dbając o dobro swoich panów, pracą, modlitwą i cierpieniem
Wpajał te cnoty czarnym braciom, dając gwarancję na zbawienie!
– Porządny człowiek tym się chlubi
Że własne niewolnictwo lubi!
– Więc panie Safnat Paneachu

Kup nas, zwyczajnych patałachów...
– Tylko nam ziarna do zasiewu daj
A ustanowisz dla nas niewolniczy raj!
Tu na Józefa mądrej twarzy
Dobroć z uśmiechem się kojarzy
– Władza ma spełniać wolę ludu...
Mówi dostojnie i łaskawie
– Więc trochę pracy, trochę cudu
I będę służyć waszej sprawie
Chcąc wam zapewnić byt bezpieczny
Zatwierdzę ten plan prospołeczny
I oddam was faraonowi
Co mu Majestat w mig uzdrowi
Podobnie z ziemią też uczynię
Chociaż opróżnię zboża skrzynię
A i na cały elewator
Tysięczny znajdzie się amator
Odtąd wy nowi niewolnicy
Własnego stanu ochotnicy
Zdrowi czy chorzy na umyśle
Będziecie mi podlegać ściśle!
Więc na wyżywienie legionów
Oddacie piątą część swych plonów
Niewiele, bowiem w swej szczodrości
Skoro mam wkrótce imieniny
A w Święto Trzciny syna chrzciny –
Chcę wam, prostakom, nieco dać radości!
Tu ogólny harmider, rozgwar, szum i zamieszanie...
Lecz ponad tym się wznosi: – Dziękujemy ci, panie!
Z prawno-ideowych przyczyn i powodów
Tych, które tworzą kształt czasów tak odległych
Cała kapłańska kasta nie doznała głodu
A ziemi jej nietkniętej nie wyceniał biegły
Bo też – jak mówi Pismo – ziemi tej ni skrawka

Nie sprzedawano, by w świętych była rękach
I lud nie szemrał, nie wznosił tomahawka…
Piękne jest życie w pokłonach i przyklękach!

NAD BRZEGIEM MORZA (Wj –)

Abyśmy mogli żabką albo kraulem przez Czerwone Morze wpław –
To, Panie, chociaż najbogatszym z nas Izraelitów, daj i spraw!

OTO JEST PEŁNE GROZY DLA IZRAELSKIEGO LUDU PRZEJŚCIE PRZEZ MORZE CZERWONE – Z DUŻYM UDZIAŁEM CUDU (Wj 13, 3–22; 14, 5–31; 15, 1–20)

– Widzę – powiedział Mojżesz – bałagan, zamieszanie
A udział w zgiełku biorą panowie, dzieci, panie
Wiem, na widok wód przepastnych, z potworami w głębinach
Można tak paść ze strachu jak od sierpa roślina
Ale nie po to Pan z faraonem się zmagał
I różnych plag nacisku stosować się nie wzdragał
Byśmy utknęli nad tą wodą, co w nieskończoność sięga
I której by przepłynąć nie chciał największy z nas ciemięga…
Pan myśli już z pewnością o wielkiej łodzi
Ja przypomnę zaś, bo przypomnieć się godzi
Na pałac atak żab, które obrzydłym swym rechotem
Zmusiły faraona, by rzekł, chociaż niechętnie: „Potem…
Znaczy, potem uwolnię izraelickie raby
Kiedy się wycofają i przepadną wszystkie przeklęte żaby!".
A muchy i komary… to następne etapy
Poprzez atak owadów poskramiania satrapy
Który pozornie się uginał
A potem w łokciu rękę zginał
Więc Pan na bydło mu zarazę…

Lecz bez sukcesu i tym razem
To jeszcze grad wielkości pomarańczy
Oraz plagę chrabąszczy… nie, szarańczy!
Na nic… więc Pan zwiększonym odpowiedział terrorem
Przez trzy dni pogrążając w takich ciemnościach kraj
Że padło trzech zemdlonych, gdy się zderzyli dwaj!
Lecz że nas nie wypuści, rzekł faraon z uporem
Dopiero pierworodnych śmierć, ten argument ostatni
Otrzeźwił jego głowę, a my wyszliśmy z matni
I teraz nad tą wodą, burzliwą, falującą
Na dalszy ciąg wydarzeń czekamy na stojąco…
– Dobrze ci mówić – rzekli Żydzi – a czas leci
Czekamy tutaj już dzień trzeci
I cóż stąd, że jest to cyfra święta
Skoro rezerwa pokarmowa napoczęta…
Wszędzie się tłum bezmyślnie kłębi
W dzień słońce pali, a noc ziębi
Skąd się ten klimat wziął w tropikach?
A tu i tam trwa bijatyka
Kozy gdzieś meczą i owce beczą
I tylko żaby w piaskach nie skrzeczą
A jeszcze rogacizna, co na czterech kopytach
Łazi, ryczy i walczy, gdy są puste koryta
Przed nami straszna woda… wielka, ach, jaka wielka
A co, gdy zemsty faraona zaciska się pętelka?
Bo choć ostatniej, tej śmiertelnej, uląkł się on zadymy
I nas uwolnił – my temu wiarołomcy nie wierzymy!
Bo nieraz już… Tak, tak – rzekł Mojżesz – wiemy, znamy
Wzmocnimy zatem straże i obserwację panoramy
Ale despota ten… nie, on się już nie ruszy…
– A jeśli – rzekli Żydzi – ząb nagle go rozjuszy?
Więc jeśli coś nasz tłumi lęk
To tylko złotych naczyń miły dźwięk

Tych, które w swej dobroci
Na drogę dali nam egipscy idioci
Jako niezbędne, by na pustyni przeżyć
W co uwierzyli, chociaż nie chcieli wierzyć…
Tutaj nie zdążył Mojżesz warknąć: – Dość gadulstwa! –
Gdy się z obozu podniosły jakieś wrzaski
I kurz wzniecony przez ruszone piaski
Bezładnym po nich biegiem stóp pospólstwa
– Olaboga, wciórności… – gęstniała przestrzeń gwarem
– Uchodźmy, uciekajmy wpław, przed tym okrutnym
carem
– Bo to pewnie oddziały tego pędzą tyrana…
– Na spienionych rumakach, zaprzężonych w rydwanach!
– A tych rydwanów będzie nawet tysiąc trzydzieści!
– I w każdym wojowników dwóch lub trzech się pomieści!
– A nas tylko mizerne, marne sześćset tysięcy…
– Uj, źle, a nawet gorzej… żeby choć kilku więcej!
– Pewnie nas w jasyr chcą zagonić
Więc trzeba nam się w morze schronić!
– Proroku blisko Pana – jakież są jego plany
I jak chce uratować swój lud umiłowany?
– Cichajta, Szmulki! – krzyknął Mojżesz. – Tu nie Drohobycz
ani Stryj
By drzeć, jak tam na targowisku, ryj!
Ci wystraszeni uciekinierzy
Wśród których się defetyzm szerzy
Niech zwolnią krok i zamkną dzioby
Bo nie tu miejsce na ich groby.
Panika – to jest zwyczaj świński
Ratunkiem – spokój olimpijski…
Wyciągam oto rękę – patrzcie
Nie narzekajcie i nie płaczcie
Bo laską w ręce zwinnie, żwawo

Jak się zamachnę w lewo, w prawo
I jak żonglerki będąc mistrzem
Tak zrobię wiatrak, że zaświszcze
A kiedy jeszcze popracuję w dół i w górę
To się rozstąpią wody te groźne i ponure
Bo taki rozkaz mam od Pana...
Wrzasnęli Żydzi: – Oto się tworzy wodna ściana
A teraz druga... To cud wodnego budownictwa
Architektury, szalunku, grodzenia i wzornictwa
W środku zaś trasa, wygodna, choć szutrowa
Szeroka niby dolina lodowcowa!
Więc skoro droga wolna
Podmorska, chociaż polna
To trzeba wyzwiskami w Egipcjan zionąć
I ruszać naprzód bez obaw, by utonąć!
Ruszyli więc hurmem By morze wziąć szturmem
Ujrzawszy od Pana ten znak –
Chcąc suchą przejść nogą
Tam, gdzie pływać mogą
Delfiny, jeżowce lub rak –
Więc biegnie dwie trzecie
Z dobytkiem na grzbiecie
Zaś reszta nie umie nadążyć
A jeszcze po piętach
Im depczą zwierzęta
Co może ucieczkę pogrążyć
Hen, niosą wieść czujki
O echach gdzieś bójki
I słyszy w chaosie kolumna:
– Ostrożnie, ciemnoto
By nie rzec: hołoto
To z kośćmi Józefa jest trumna!
Szeroką prąc ławą
Gdy strach przed obławą

Nie czas na podziwu okrzyki
Choć obok dwie ściany
Dwa wodne ekrany
Wzniesione wbrew prawom fizyki!
Choć trzeszczą im kości
Trwa bieg ku wolności
Ku ziemi, co z miodów, szampanów...
Lecz echem coś dudni
W podmorskiej tej studni –
To słychać już turkot rydwanów
Kopyt i stóp tupot
Gwar przekleństw i głupot
Lecz naprzód rwie ludzki ten potok
Lepiej stwór zębaty
Niech zje nas na raty
Niż wrócić i oddać tam złoto!
A Mojżesz znów na brzegu z laską w ręku stał
Gdy Pan potężny, wschodni uruchomił szkwał
I przeciw wojskom na rydwanach zwrócił swe oblicze
By stłumić, zmącić, unicestwić plany ich zbrodnicze...
Więc gdy huraganem
Zakręcił nad ranem
To niemal wywrócił konie wraz z rydwanem
Bo koła zatrzymał
Jak chwytem olbrzyma...
– Uciekać, z Panem Izraela nikt z nas nie wytrzyma!
Tak się krzyk Egipcjan przez monsun przedzierał
A tłum, gdy zawracał, ze strachu umierał...
Lecz lepiej byłoby im wpaść w szpony mafii:
Nie wiedzą, nieszczęśni, co laska potrafi
I to nie ta czeska, co miłość oznacza
Lecz twarda i groźna jak zemsta Apacza
Bo oto Mojżesz rękę wyciąga
W niej doświadczony zaś kawał drąga

I już grzywacze białe, spienione
Z prędkością wiatru pędzą szalone
Fala z wściekłym rykiem wznosi się i spiętrza
A kiedy dobiegnie, dusi i zamęcza
Z furią uderza i wali z łoskotem
Przykrywa wierzchowce i ludzi... a potem
W zaświatach Ozyrys ich dusze powita
A w morzu ich ciała i końskie kopyta...
Zaś Mojżesz znów nad brzegiem morza stał
Tylko oszczercy twierdzą, że się chytrze śmiał...
A Izraelici w mokry piasek padli na kolana
Improwizując w wielkim twórczym natchnieniu
Hymn o zagładzie wrogów i swoim ocaleniu –
Zbiorowo pieśń dziękczynną wznosili do Pana
Wielkim głosem, z patosem: „Któż dorówna, ach, któż
Temu, kto pogromcą rydwanów i kto sprawcą jest burz
Komu fale posłuszne, kogo wiatr musi słuchać
Gdy mu Pan, topiąc wojska, kazał ze wschodu dmuchać
Tak oto Pan wspaniale okazał swą potęgę
Ukorzył faraona, starego niedołęgę
Któż pośród wszystkich bogów jest równy Tobie, Panie?
Nikt, choć czczą ich w Egipcie, Moabie, Kanaanie
Lecz Ty jesteś jedyny, jesteś naszą nadzieją
Tamtych bożków zaś nie ma, choć z pewnością istnieją
Ach, piękne z topielcami jest morze z ręki Pana...
Lecz przed nami trud marszu i Ziemia Obiecana
A tam krzyczą już ci z Moabu, Edomu, Filistyni
Biada nam, biada, Izraelitów już słychać na pustyni!
Truchleją wszyscy, którzy na tamtych ziemiach siedzą
Choć jeszcze o topielcach i o nas nic nie wiedzą
O Panie, jesteś wielki... Któż dorówna Ci, któż?"
Tak woła lud wybrany Twój, a on się zna... I już.

Do Ziemi Obiecanej (Wj –)

Aj, jak przejdziemy przez tę pustynię, bez astrologów,
map i kompasu?
Jest harmonogram – powiedział Mojżesz – na lat czterdzieści… to sporo czasu!

Malkontent wędrowny (Wj –)

Patrząc na morze piasku wokoło
Włos mi się jeży, pukam się w czoło
I w pięciu stawach ostro mi zgrzyta
I wnet wyciągnę w drodze kopyta…
To chyba jakaś gra jest na zwłokę
Skoro marsz trwać ma całą epokę!
Co to, pielgrzymka albo wycieczka
Szlakiem Róż Czarnych lub króla Ćwieczka?
Niech sto lat idzie, kto ma ochotę –
Ja się nie piszę na tę głupotę!
Przecież inaczej drzewiej bywało
O czym pospólstwo nasze wie mało:
Abram, gdy głód go gnał do Egiptu
Płacił i żądał: zboże mi syp tu!
Bo dzięki Sarze stał się bogaczem
Choć, bez urazy, także rogaczem…
A ci Józefa bracia oprawcy
Z których by była piłkarska sekcja
Handlarze ludźmi, zwykli szubrawcy
Czyż nie krążyli tam i z powrotem
Nawet w dzień święty, czyli w sobotę
Jak podatkowa jakaś inspekcja?

A także Jakub w podeszłych latach
Wsiadł, po rodzinnych swych tarapatach
Na wóz, z krewnymi oraz dobytkiem
Gdy chciał faraon bratać się z Żydkiem
I tak pustynne przebył bezdroża
Wśród chrzęstu piasku, szum słysząc morza
Między szabatem jednym a trzecim
Tylko ciut wolniej, niż ptak przeleci!
A my w tych piaskach mamy ugrzęznąć
Na lat dziesiątki? Jak żółwie pełznąć?
Czyś po to objął nad nami rządy?
Odrzekł mu Mojżesz: – Napój wielbłądy!

O WYCZERPANEJ LUDZKIEJ KARAWANIE
WALCZĄCEJ NA PUSTYNI O PRZETRWANIE
(Lb 11, 4–6; 11–20; 31–32)

– Szefie – zawołał wielkim głosem tłum – nic do jedzenia, nic do picia
Gdzież ulubione są egipskie mięsa, ryby, czosnki, melony i ogórki?
Piasek niedobry jakiś, trzeszczący, zbyt suchy do spożycia
Chyba już nawet niewola faraona byłaby lepsza do powtórki!
Bo tu codziennie rano pasza manna…
Czy po niej kościotrupy mają grzmieć *Hosanna*?

– Taaak… – rzekł Mojżesz – bez dwóch zdań
To dość krótka lista dań
O takie zaraz ją wydłużę chętnie
Które już z nazwy brzmią ponętnie
Więc kto ma uszy do słuchania
Niech smak i zapach dań tych wchłania:
Sztukamięs z ćwikłą, gulasz, kotlety
Uszka z barszczykiem, rybne pasztety

Gołąbki z farszem mięsno-grzybowym
I jaja w sosie beszamelowym
Flaczki cielęce, leszcz w galarecie
Udziec z gazeli dla tych na diecie
Grzybki smażone, raki, ozorki
Kiełbasa z rusztu, śledziowe korki
Kluseczki z makiem, rumsztyk wołowy
Zrazy, klopsiki, sos koperkowy
A obok trufle, legumina
Królik pieczony, trampolina
Chciałem powiedzieć – lin dla trampa
Bo wszak pustynia jest jak pampa
Rozległa, końca wzrok nie sięga
Gdy po niej snuje się włóczęga –
Tramp do swej Ziemi Obiecanej
W drodze różami nieusłanej
O czym to ja?... zgubiłem wątek
Pewnie trzynasty dziś i piątek...
Aha... już wracam do wyżerki:
Więc polędwica, cynaderki
Kawior, langusty, ślimaki, kraby
Tatar, krewetki, ostrygi, żaby
Comber z zająca, myśliwski bigos
Szaszłyk barani... wreszcie, *amigos*
Pierożki lub naleśniki z serem
I czas zakończyć całość deserem...
A tutaj znowu przyjemności wiele
Bo oto gruszki w cukrze, wiśnie lub morele
Truskawki ze śmietaną, torty migdałowe
I sernik po wiedeńsku, i lody owocowe
Kremy, soki, maliny i wina pełne dzbany
Wszystko pod gust wybredny dwunożnej karawany
Zwłaszcza gdy dodam szampan i piwa wielką beczkę...
Kelner! Zamawiam wszystko to... chwileczkę!

Gdy dojdzie dla wzmocnienia ducha
Likier miętowy lub siwucha
To jeszcze czegoś wędrowiec sobie zawinszuje
Skoro mu manna nie smakuje
W tej suchej i pustynnej strefie?
Tu lud zawołał: – Przestań, szefie!
Poziom dowcipu raczej średni...
My nie jesteśmy tak wybredni
Więc choć twój wykaz smakołyków
Do wrogich skłaniałby wybryków
To nim do Ziemi Obiecanej będzie z górki
Wystarczy marne ptactwo... może choć przepiórki?
Nawet bez soli, pieprzu i masła
Byle ich chmara brzuchy napasła!
– Ach, bardzo proszę! – zawołał Mojżesz... się rozumie
Izraelitów dzielny, mądry, bardzo liczny tłumie
Przepiórki, powiadacie? – to problem bardzo łatwy...
Ja bym z dobrego serca dołożył kuropatwy
I niech gołębie, szpaki, kwiczoły i cietrzewie
Bażanty, gęsi, kaczki rosną na każdym drzewie
A gdyby pan wędrowiec zapadł na cennym zdrowiu –
To rosół z tłustej kury już będzie w pogotowiu...
Zresztą, skoro ogromnie tak nęcą was te fruwacze
Że wszyscy razem lub oddzielnie każdy o nich gdacze –
To rzecz przedstawię Panu, On podejmie kroki...
Lecz zanim to nastąpi, *paszli won*, żarłoki!

– Ludu wybrany! – wołał Mojżesz – i zgłodniały
Wiedz, że choć gniew Pana rozpalił się potężnie
To nie wystąpi przeciw tobie orężnie
Lecz przygotował ci mięsne specjały...
Odtąd więc precz z głodówką i z manną gotowaną
Teraz miewać będziecie mięs codziennych dostatek
Pełne brzuchy i gardła, aż powyżej łopatek

Pierwsza dostawa ptaków nastąpi jutro rano!
A będą to przepiórek niezliczone tysiące…
Więc gdy z trzepotem skrzydeł zakryją błękit nieba
To wtedy je patelnią… i o metr grubsza gleba
I jeść je wciąż będziecie, przez tygodnie, miesiące
Aż mięso tak wam wyjdzie uszami oraz nosem
Że wszyscy zatęsknicie za pokrzywą i prosem!!!
Tutaj lud zafalował: – Za tyle radości
Dziękujemy pokornie Waszej Dostojności!

O DWUNASTU TAKICH, CO POSZLI
NA ROZPOZNANIE – A O TYM, CO WIDZIELI,
DOŚĆ RÓŻNE MIELI ZDANIE (Lb 13, 1–33; 14, 1–45)

– Macie iść dniem lub nocą, skradać się, czołgać, ryć jak krety…
Zanim wejdziemy, musimy wiedzieć wszystko o ludach Kanaanu
Zwłaszcza że potem raport o nich muszę złożyć Panu
A w bramach miast nie proszą o bilety
Lecz tam, jeżeli was dopadną
To mogą zrobić rzecz szkaradną:
Obciąć uszy, piec w ognisku
Lub położyć na mrowisku
Skórę złupić, ukatrupić
Albo gorzej się wygłupić…
Więc czuj duch!
A gdy trzeba, to buch, buch
Obywateli dwóch!
Tak mówił Mojżesz do Dwunastu, wybranych według Pana
wskazówek
– Niechby choć dla pozoru, wzięli parę baranów…
– Mniej zwierząt niż pasterzy? Weź się, Icek, zastanów!
Więc poszli brnąc w kurzawie piasku, niknąc w oddali na
kształt mrówek…

Hej, mija szabat pierwszy, drugi, czwarty i piąty
Wydeptane obozu wszystkie ścieżki i kąty
Gdzież to są nasi ludzie, gdzie nóg dwadzieścia cztery
Gdzie wszyscy, co dostali wywiadowcy papiery?
Kronikarzom z nieróbstwa stężał w piórach atrament
Ani śladu wysłańców... przez nich zamęt i lament
Może w lochach, wśród ciemności
Szczury gryzą już ich kości?
Albo ciągnąc jarzmo pługa
Czeka ich katorga długa?
Może to lwy pustynne ludzkie ciała pożarły
A dusze ich szybują do krainy umarłych?
Lub szatan, jak kierunkowskazem
Grał, żonglując krajobrazem
I kierował ich obłudnie
Nie na północ, lecz południe?
A jeśli nie wrócą wcale
Lub w drewnianym futerale?
To nam umkną i przepadną
Albo w obce łapy wpadną
Frukta Ziemi Obiecanej
Od lat w duszy kołysanej!
– Jutro – powiedział Mojżesz – dzień magiczny, czterdziesty
Wobec knowań szatańskich więc wstrzymajmy protesty
Jutro wrócą ze zwiadu, tą pewnością nie zgrzeszę
Bo inaczej niegodzien będę zwać się Mojżeszem!
Ha, ha! Wytężmy wzrok na te pagórki
Bo na pagórkach jakieś są figurki
Kształtem podobne do ludzików
Chociaż wielkością – do norników...
Lecz są... zbliżają się i rosną... idą, ledwie mogą
Ktoś padł... już wstał... ze złości kopnął nogą
Choć wiatr pustynny tańczy w piaskowym korkociągu
Dwunastu dzielnych zuchów niesie gałąź na drągu

Nie, dwóch tylko… bo reszta silnej grupy
Dźwiga coś w sakwojażach, zginając kręgosłupy
Jest oto Setur z rodu Asera
Oraz Jigeal… ten z Issachera
Z Judy zaś Kaleb, syn Jefunnego
Znaczy, Jefunne jest ojcem jego…
Szafat… ten z pokolenia jest Symeona
A za nim Gaddiel, od Zabulona
Jest Palti, Ammiel, a z rodu Gada
Geuel, co raz niechcący pobił sąsiada…
I jest też reszta… cała Dwunastka
Widać, szczęśliwa wiodła ich gwiazdka
Teraz się w krzaki zwalili ławą…
– Piwo dla wszystkich! Dwa, trzy, a żwawo!
Nie… choć brak tchu, suchość w gardle, a w oczach ciemność
To najpierw obowiązek, potem zaś przyjemność
Niech mówią, co o ziemi tej do powiedzenia mają
To przecież nasza ziemia! Niech mówią… Więc opowiadają…
– Przeszliśmy ziemi szmat, w trudzie na miarę czasu
Czyli bez przewodników, bez map i bez kompasu
Idąc dwójkami lub czwórkami trzema
Chytrze udając, że nas nie ma…
Widzieliśmy tam miasta, gaje oliwne i winnice
Góry, ptactwo, zwierzęta, bliższe i dalsze okolice
I nie było potrzeby
Badania składu gleby
By wiedzieć, że to nie gliny, torfy czy rędziny kredowe
Lecz lessy, czarnoziemy i mady osadowe
Gdyż kraina to wielce urodzajna, lesista i zielona
Co widać po owocach oraz po wszystkich plonach
To kraj mlekiem i miodem… spełnione nasze modły
Choć pszczoły nas pogryzły, nawet krowy pobodły
Więc by tułacze życie się skończyło
Musimy wkroczyć tam z brutalną siłą!

Butelkę dla kurażu i miecz okrutny w dłonie...
Skosimy ich jak trawę, wszak Pan po naszej stronie!
A tutaj macie na zachętę
Kiście winogron tam odcięte
A także figi i granaty
Które – wpadając w tarapaty
Cięliśmy cichcem wczesnym brzaskiem
Uchodząc przed tłumu wściekłym wrzaskiem!
Tak mówił Ozeasz oraz Kaleb... dwaj mężowie
Co przez granaty życie mogli stracić albo zdrowie...
Lecz inni – frasunku swego nie skrywając
Rzekli: – Wszak Ziemia Obiecana to nie zając
Aby go gonić lub za uszy łapać we śnie
Tu trzeba przygotowań i rozwagi... jest za wcześnie
Bo mury miast potężne i masywne w nich bramy
A tubylcy głusi będą na krzyk: Otwierajcie je, chamy!
A mnogość ich niezmierna... wśród żywych i umrzyków
Liczebnie przewyższają nawet samych Chińczyków!
Przy tym to wielkoludy... przez wzgląd na gabaryty
Bardzo są ryzykowne wojenne tam wizyty
My też czuliśmy się wśród nich, niby szarańcza mali...
– Łgarze – powiedział Mojżesz – to czemu was nie rozdeptali?
Lecz tutaj wielki powstał szum
Strach ludu się narodził
– Joj, co to będzie... szemrał tłum
I jęczał, i zawodził:
– Nie chcemy iść, by miód nam kapał
Gdzie Kanaany żyją
Lecz jeśli ich ogarnie zapał
Wpadną i nas pobiją?
Niechaj od miecza tych olbrzymów
Głowy nie straci nikt tu
W pokutnych szatach więc pielgrzymów
Wracajmy do Egiptu!

Lecz najpierw obu podżegaczy
Co chcieli agitować
Trzeba nam obić, obsobaczyć...
Zawrzasnął tłum: Ukamienować!!
Patrząc na owe przepychanki, rzekł Pan: – Awanturnicy!
Przewrotni, pełni zła nieudacznicy
Dokąd ten lud w oparach fałszu będzie się zataczał
Jak długo jeszcze będzie mi uwłaczał?
Mam dość... wytępię wszystkich, a tobie dam Mojżeszu
Zwierzchność nad innym ludem... na przykład Bangladeszu
Że co? Wokoło zwątpią w moją moc i siłę
Gdy zamiast was wprowadzić w kraj płynący miodem
Ulegam chęci zemsty nad moim narodem
Czyniąc Izraelitom rzeczy tak niemiłe?
Dobrze więc... wybaczam i tym razem
Lecz zło nie wszystkim ujdzie płazem
Ci, co w opisie Kanaanu stali się kłamcami
Mogą szybkimi czuć się już nieboszczykami
A inni, co ukradkiem śmieją się pod nosem
Wkrótce zapłaczą nad swoim przyszłym losem
Bo lat czterdzieści będą się po pustyni błąkać
Głuchnąć, ślepnąć i plątać, przewracać się i jąkać
Trupy wasze zalegną, i wyschną w wydmach piasku
A sępy je rozszarpią, wśród łopotu i wrzasku
Zatem z pustynnych tych błąkaczy
Nikt Ziemi Obiecanej nie zobaczy
I tylko dzieci wasze ujrzą ten kraj złotego runa
I słudzy moi wierni – Kaleb i Jozue, syn Nuna!
– Aj, waj! – wołali wraz Izraelici
Dotąd byliśmy w ciemię bici
Lecz właśnie powiał wiatr odnowy
I Egipt nam wywietrzał z głowy
Więc chcemy według pierwotnego planu
Natychmiast iść do Kanaanu

Bo tam nam żyć i nie spiskować…
Do Kanaanu wodzu prowadź!
Lecz Mojżesz, chcąc jakby kubłem zimnej wody
Otrzeźwić ich, rzekł: – Czy do was, czy do trzody
Pan mówił, kto do tej ziemi wkroczy
Wyraźniej, niż cios trafia między oczy?
Nie uda się, bo nie wystarczy tupnąć
Wbrew Panu zaś, lepiej wam tu przycupnąć!
Lecz oni poszli… wierząc mocno
Że przejdą dniem lub porą nocną
I niemal by się rzecz udała
Lecz drobna przykrość ich spotkała…
O której wieść w wojennej pieśni
Potomnym przekazali jej współcześni:
– Przeklęty z Kanaanu lud i Amalekici –
Przez nich jesteśmy rozgromieni, rozproszeni i pobici!

**JAK DZIELNY LUD IZRAELITÓW WKROCZYŁ
W ZIEMIE DOBROBYTU, CO JAK WIENIEC CNÓT
WSPANIAŁYCH SŁUSZNIE MU SIĘ NALEŻAŁY** (Wj 16, 35–36)

Do wyśnionej, choć nieznanej
Ziemi przodkom obiecanej
Dawno, solennie
Ważnie niezmiennie
Tup, tup, tup
Tup, tup, tup
Iść będziemy lat czterdzieści
Dziennie metrów więc trzydzieści
Kto to wytrzyma trzydzieści
Metrów trzydzieści
Kto to wytrzyma trzydzieści
Dziennie trzydzieści…

Te chamsiny, te skorpiony
I szarańczą lud karmiony
Gorszą od kreta
Bez prawa weta
Chrup, chrup, chrup
Chrup, chrup, chrup
I nażarci tą szarańczą
Ludzie obłąkańczo tańczą
Niby derwisze, derwisze
W transie derwisze
Niby derwisze, derwisze
W transie derwisze...
Czasem, gdy śpiewamy psalmy
Hen, w oddali migną palmy
Wtedy na oślep
Biegnie na oślep
Głup, głup, głup
Głup, głup, głup
Nie wie, z głową jak barana
Że to jest fatamorgana
Więc leży z zębami w piasku
Nie w chłodnym lasku
Więc leży z zębami w piasku
Nie w chłodnym lasku...
Gdy w tym piasku nogi grzęzną
W suchych gardłach słowa więzną
Ach, skwarną porą
W staw lub jezioro
Chlup, chlup, chlup
Chlup, chlup, chlup
Niech, choć pływacy z nas wielcy
Znajdą się nawet topielcy
Byleby woda, ach woda
Ożywcza woda

Byleby woda, ach woda
Zbawienna woda…
Idąc taką wielką armią
Tylko się nadzieją karmią
Lecz patrząc wokół
Oraz w protokół
Trup, trup, trup
Trup, trup, trup
Już nie będą w Kanaanie
Jeść knedlików na śniadanie
Ani wieczorem karasia
Cymes karasia
Ani w śmietanie karasia
Cymes karasia…
 Kiedy znów z rosą poranną
 Pan nas wzmacniał białą manną
 Nagłe olśnienie
 I nie złudzenie
 Słup, słup, słup
 Słup, słup, słup
 Do tych słupów, które rzędem
 Cały obóz pobiegł pędem
 Bo już za nimi zieloność
 Pastwisk, łąk i pól
 Ziem Obiecanych zieloność
 Pastwisk, łąk i pól!